Harmony in Experience

비즈니스와 UX의 진화

안미경

Harmony in Experience 비즈니스와 UX의 진화

발행 | 2024년 3월 30일
저자 | 안미경
디자인 | 어비, 미드저니
편집 | 어비
펴낸이 | 안미경
펴낸곳 | 열린 인공지능
등록 | 2023.03.09(제2023-16호)
주소 | 서울특별시 영등포구 영등포로 112
전화 | (0505)044-0088
이메일 | book@uhbee.net

ISBN | 979-11-93116-61-6

www.OpenAIBooks.shop

Harmony in Experience

비즈니스와 UX의 진화

안미경

목차

머리말

UX가 많은 부분에서 광범위하게 활용되면서 단위별 방식들을 통해 서비스를 개선하는 사례들이 늘고 있다.

비즈니스 초기에 사용자 요구사항이나 시장에 대한 고려와 변화되는 양상들을 분석하고 리서치한 비즈니스 리더, UX 전문가들이라면 이런 단위별 방식에 매몰되지 않을 것이다. 그러나 안타깝게도 사용자경험디자인을 너무 단위적으로 해석하는 일부 전문가들을 보면서 조금 더 깊은 이야기를 던지고자 집필을 생각하게 되었다.

IDEO의 팀 브라운은 인간중심디자인은 버튼의 위치가 어디 있어야 더 빠르게 사용자의 목적을 달성할지를 고민하는 것 이상의 영향력을 가지고 있다고 말하였다.

사용자경험의 디자인은 비즈니스와 비즈니스의 사용자, 동시대인들에게 더 큰 가치를 제공할 힘을 가지고 있다는 것을 잊지 않았으면 하는 마음으로 Harmony in Experience를 집필하였다.

집필을 위한 방식은 인공지능 서비스를 통해 저자의 방향성과 각 파트의 주제를 나누고 저자의 생각을 프롬프트 명령으로 하여 비드와 GPT3.5의 두가지를 활용하였다. 이 과정에서 자연스럽게 저자의 생각을 한 번 더 인공지능이라는 플랫폼과 많은 학습데이터로 검증하는 단계를 가질 수 있었던 것은 큰 수확이었다.

조금은 실험적으로 이루어진 집필방식에서 때로는 인공지능의 뛰어남을 때로는 그럼에도 불구하고 아직까지 인간의 생각이 더욱 필요하다는 것을 알 수 있는 좋은 경험이었다. 이 과정에서 다소 어색하거나 무리한 내용이 있다면 의견을 주시길 바란다. 아울러 인공지능과 함께 더 깊은 이야기를 할 수 있는 다음을 계획해본다.

저자 소개

저자는 사용자경험디자인, 인간중심 디자인, 인간공학이 막 태동하던 시기에 대기업과 기술중심의 벤처 IT 기업에서 디자인 전략과 UX를 담당한 전문가이다. 이후 서비스디자인 전문 기업에서 사용자리서치의 전과정을 직접 경험하였고 이러한 리서치를 통해 산업의 한계와 사용자의 니즈를 연결하는 서비스들을 설계하고 만들어왔다. 2014년도부터 의료부분 서비스 UX분야에서 주로 활동하고 있으며 대학에서 학생들에게 새로운 서비스를 기획하기 위한 방법들을 가르치고 있다. 저자는 인터넷 기업, 빅데이터 기업, 서비스디자인 기업, 의료기압에서 주요 산업을 경험해온 것에 감사하며 그동안의 경험을 더욱 가치 있게 만들기 위해 노력하고 있다.

1장 서론

1.1 서문

본 책은 비즈니스와 디자인이 상호작용하는 중요성과 변화(진화)에 초점을 맞춘다. 빠르게 변화하는 현대 비즈니스 환경에서 성공적인 기업은 단순히 제품이나 서비스를 판매하는 것을 넘어 사용자 경험(User Experience, UX)을 중시하는 전략적 접근이 필수적이다. 이 책은 전략적 UX 디자인이 비즈니스에 미치는 영향과 그 중요성에 대해 탐험한다.

비즈니스의 UX 전환

21세기의 기업은 사용자 중심의 디자인 원칙을 적용하여 사용자 경험을 개선하는 것에 주목하고 있다. 기존의 제품 중심에서 사용자 중심으로의 전환은 비즈니스 환경에서 큰 전환을 가져왔다. 사용자의 니즈와 선호도를 이해하고 이를 바탕으로 제품과 서비스를 디자인함으로써 기업은 경쟁력을 확보하고 브랜드 가치를 향상시킬 수 있다.

전략적 UX 디자인의 핵심 개념

책의 시작부터 전략적 UX 디자인의 핵심 개념을 이해하는 것이 중요하다. 우선, UX가 무엇인지, 왜 전략적인지, 어떻게 비즈니스에 영향을 미치는지를 명확하게 파악해야 한다. UX는 단순한 디자인 요소를 넘어 사용자와의 상호작용을 최적화함으로써 비즈니스 성과를 높일 수 있는 강력한 도구로 작용한다.

전략적 UX 디자인의 필요성

본 책은 전략적 UX 디자인이 왜 필요한지에 대해 탐구한다. 비즈니스 환경의 불확실성 속에서 전략적 UX 디자인은 기업이 사용자의 니즈를 예측하고 적절히 대응하여 미래에 대비하는 핵심적인 전략이다. 이를 통해 기업은 경쟁에서 앞서 나갈 수 있으며 혁신적인 제품과 서비스를 만들어 나갈 수 있다.

책의 구성과 목차

책은 일곱 장으로 구성되어 있다. 각 장은 전략적 UX 디자인의 다른 측면을 다루며, 실제 사례와 함께 구체적인 전략을 제시한다. 또한, 각 장의 끝에는 핵심 요약과 토론을 통한 심화 학습을 위한 연구 주제가 제공된다.

이러한 구성을 통해 독자는 책의 내용을 더욱 효과적으로 이해하고, 비즈니스에서 전략적 UX를 성공적으로 적용하는 방법에 대한 기반을 다질 수 있을 것이다. 함께 여행하며 전략적 UX 디자인의 세계를 탐험해보자.

1.2 이 책의 목적

이 책은 비즈니스 세계에서 성공적인 혁신과 사용자 경험을 조화시키는 데에 초점을 맞추고 있습니다. 현대 기업가들을 위해,

우리는 디자인과 비즈니스가 어떻게 연결되어 실질적인 가치를 창출하는지에 대한 현장 경험을 제시합니다. 이를 통해 독자들은 다음과 같은 목표를 달성할 수 있습니다:

비즈니스에 진정한 가치를 불어넣기: 전략적 디자인과 UX 디자인을 통합함으로써 기업이 제공하는 제품과 서비스에 진정한 가치를 부여하는 방법을 학습합니다.

시장에서 미래를 선도하기: 비즈니스가 변화하는 시대에 기업가로서 어떻게 미래를 예측하고 대응할 수 있는지에 대한 통찰을 제공합니다.

고객과의 강력한 연결: 사용자 경험이 기업의 성패에 미치는 영향을 깊이 이해하고, 이를 통해 고객들과 강력한 관계를 구축하는 전략적인 방법을 소개합니다.

실전에서의 경험 기반 지식: 성공적인 비즈니스를 이끌기 위한 실전 경험 기반의 툴과 프레임워크를 제공합니다.

저자는 비즈니스 세계에서 성공적인 혁신과 사용자 경험을 조화시키고 그간운데 변화되고 진화된 UX디자인에 대해 알리는 것을 목적으로 합니다. 이를 통해 기업의 성패에 중요한 영향을 미치는 고객 경험을 개선하고, 기업이 시장에서 경쟁력을 확보할 수 있도록 돕는 것이 목표입니다.

목적을 달성하기 위해 책은 다음과 같은 내용을 다룹니다.

비즈니스와 디자인의 관계: 비즈니스와 디자인이 어떻게 연결되어 실질적인 가치를 창출하는지 이해합니다.

사용자 경험의 중요성: 사용자 경험이 기업의 성패에 미치는 영향을 깊이 이해합니다.

혁신적인 UX 디자인: 전략적 디자인과 UX 디자인을 통합하여 혁신적인 UX 디자인을 구현하는 방법을 학습합니다.

미래를 선도하는 UX 디자인: 변화하는 시대에 적응할 수 있는 미래지향적인 UX 디자인을 구현하는 방법을 학습합니다.

고객과의 강력한 관계 구축: 고객과의 강력한 관계를 구축하기 위한 전략적인 방법을 소개합니다.

실전에서의 경험 기반 지식: 성공적인 비즈니스를 이끌기 위한 실전 경험 기반의 툴과 프레임워크를 제공합니다.

독자 대상

이 책은 비즈니스 세계에서 성공을 원하는 기업가들을 대상으로 합니다. 특히, 다음과 같은 독자들에게 유용할 것입니다.

UX 디자인에 관심이 있는 비즈니스맨

사용자 경험을 개선하여 기업의 경쟁력을 확보하고자 하는 기업가

디자인과 비즈니스의 관계를 이해하고자 하는 학생

이 책은 전략적 UX 디자이너가 되기 위한 필수적인 지식과 기술을 체계적으로 학습할 수 있도록 구성되어 있습니다. 또한, 실무에서 바로 활용할 수 있는 다양한 예시와 실습 문제를 제공하여, 전략적 UX 디자이너로서의 역량을 강화할 수 있도록 합니다.

따라서 이 책은 미래를 향한 전략적 UX 디자인을 이해하고, 이를 수행하기 위한 역량을 함양하고자 하는 사람들에게 실질적인 도움이 되는 가이드북이라고 할 수 있습니다.

1.3 독자를 위한 안내

이 책을 효과적으로 활용하고 최대한의 가치를 누리기 위해 몇 가지 안내를 제안합니다.

1.전체 내용 미리 살펴보기: 책의 구성과 주요 주제를 파악하기 위해 각 장의 목차를 먼저 훑어보세요. 이것은 독자들이 어떤 내용을 기대할 수 있는지에 대한 좋은 개요를 제공합니다.

2.주요 용어와 개념에 주목: 비즈니스와 UX 디자인 분야의 주요 용어와 개념에 익숙하지 않다면, 각 장의 중요 용어에 대한 설명을 찾아보세요. 이는 책의 내용을 이해하는 데 도움이 될 것입니다.

3.실전 사례와 케이스 스터디 확인: 각 주제에 대한 이론을 학습한 후, 실제 사례와 케이스 스터디를 확인하여 실무에 어떻게 적용되는지를 이해하세요. 이를 통해 개념을 현실 세계에

적용하는 방법을 파악할 수 있습니다.

4.자신만의 메모와 아이디어 기록: 독자는 자신만의 메모를 남기고, 아이디어를 기록하여 책을 읽는 동안 떠오르는 생각을 기록해두는 것이 좋습니다. 이는 독자의 이해를 높이고 나중에 참고할 때 도움이 될 것입니다.

5.꾸준한 학습과 토론: 이 책은 전략적 UX 디자인과 관련된 다양한 주제를 다루고 있습니다. 독자들은 꾸준한 학습과 토론을 통해 이 내용들을 심도 있게 이해하고 자신만의 관점을 개발할 수 있습니다.

이러한 안내 사항들은 독자들이 책을 보다 효과적으로 활용할 수 있도록 도움을 줄 것입니다.

2장 비즈니스 변화를 이끄는 전략적 UX디자인

UX디자인의 핵심과 비즈니스 전략

2.1.1 비즈니스와 UX의 상호작용

비즈니스 목표와 사용자 만족의 연계

비즈니스는 제품이나 서비스를 통해 가치를 창출하고 수익을 올리는 것을 목표로 합니다. 이때, 사용자 경험이 탁월하다면 사용자들은 더 많은 가치를 느끼게 되어 비즈니스 목표를 달성하는 데 긍정적인 역할을 합니다. 따라서 비즈니스와 UX 디자인은 조화를 이루어야 합니다.

사용자 니즈와 기대에 부합한 서비스 제공

비즈니스 목표를 달성하기 위해서는 사용자의 니즈와 기대를 정확히 파악하고, 그에 맞게 제품이나 서비스를 제공하는 것이 필수적입니다. 사용자 중심의 디자인은 사용자의 관점에서 제품이나 서비스를 바라보며, 사용자들이 원하는 기능과 경험을 제공합니다. 이를 통해 사용자는 만족감을 느끼며, 이는 장기적으로는 기업의 수익과 성과로 이어집니다.

비용 절감과 초기 단계 문제 예방

제품이나 서비스를 개발하는 초기부터 UX 디자인을 고려함으로써 비용을 절감하고 개발 과정에서의 문제를 사전에 예방할 수 있습니다. 사용자 중심의 디자인은 제품이나 서비스의 초기 단계부터 피드백을 받아 개선해 나가는 방식을 채택합니다. 이로써 초기의 작은 결함이나 문제점을 파악하고 수정함으로써 나중에 발생할 수 있는 큰 문제를 방지할 수 있습니다.

사용자 피드백과 지속적인 개선

상호작용하는 UX는 사용자 피드백을 수용하고, 이를 통해 제품 또는 서비스를 지속적으로 개선합니다. 사용자 중심의 디자인은 사용자들이 제공하는 다양한 의견을 반영하여 제품 또는 서비스를 개선하는 과정에서 중요한 역할을 수행합니다. 이는 사용자들이 더 나은 경험을 할 수 있도록 지속적인 향상을 가능케 합니다.

초기 단계의 작은 결함 예방

사용자 중심의 디자인은 초기부터 작은 결함이나 문제점을 파악하고 수정함으로써 나중에 발생할 수 있는 큰 문제를 방지합니다. 이는 개발 초기에 사용자 피드백을 통한 디자인 수정을 통해 제품이나 서비스의 품질을 향상시키고, 결과적으로 비즈니스의 성공을 이끌어냅니다.

2.1.1에서는 비즈니스와 UX 디자인이 상호작용하는 핵심적인 부분에 대해 살펴보았습니다. 사용자 중심의 디자인을 통해 비즈니스 목표와 사용자 만족을 연계시키고, 초기부터 사용자 피드백과 개선을 통해 더 나은 제품과 서비스를 제공하는 것이 중요함을 강조했습니다. 이는 비즈니스의 지속 가능한 성장과 성과 향상을 위한 핵심 전략입니다.

2.1.2 전략적 디자인의 중요성

전략적 디자인의 개념

전략적 디자인은 기업이 비즈니스 목표를 달성하기 위해 디자인을 적극적으로 활용하는 방식을 의미합니다. 이는 비즈니스 전략과 긴밀한 연관이 있으며, 비즈니스의 목표와 가치를 달성하기 위해 디자인을 계획, 실행하는 것을 목표로 합니다.

UX 디자인의 전략적 위치

전략적 디자인은 UX 디자인을 비즈니스의 핵심 요소로 삼아 전략을 구성합니다. 사용자 경험을 향상시키는 것은 단순히 제품이나 서비스의 외적 디자인뿐만 아니라, 비즈니스 전략의 핵심적인 부분으로 디자인을 통합시킵니다.

전략적 디자인의 핵심 가치

1. 비즈니스 방향성 제시: 전략적 디자인은 비즈니스의 방향성을 제시하고 이를 달성하기 위한 디자인적인 해결책을 찾아냅

니다. 비즈니스 목표를 고려한 디자인은 기업이 경쟁력을 유지하고 확장하는데 기여합니다.

2. 비즈니스 모델 혁신: 전략적 디자인은 기존의 비즈니스 모델을 혁신적으로 변화시키는 역할을 합니다. 사용자 중심의 디자인을 통해 새로운 가치를 창출하고 기업의 수익 모델을 다양화시킬 수 있습니다.

3. 장기적인 비전 수립: 비즈니스 환경은 끊임없이 변화하고 발전합니다. 전략적 디자인은 이러한 동적인 환경에 대응하여 장기적인 비전을 수립하고, 변화에 대응할 수 있는 유연성을 제공합니다.

전략적 디자인의 측정 지표

1. 비즈니스 성과: 비즈니스 목표와의 직접적인 연결을 통해 디자인의 성과를 측정합니다. 이는 수익 증대, 시장 점유율 확대 등으로 나타날 수 있습니다.

2. 사용자 만족도: 전략적 디자인은 사용자 경험을 향상시킴으로써 사용자 만족도를 높이는 결과를 도출합니다.

3. 혁신성: 비즈니스 모델이나 제품, 서비스의 혁신은 전략적 디자인의 성과 중 하나로 평가됩니다.

2.1.2에서는 전략적 디자인의 개념, UX 디자인의 전략적 위치, 핵심 가치, 그리고 측정 지표에 대해 살펴보았습니다. 전략적

디자인은 비즈니스와 UX 디자인이 긴밀히 결합되어 비즈니스의 목표를 달성하고 지속 가능한 경쟁력을 확보하는데 기여합니다.

전략적 디자인과 비즈니스 혁신의 상호작용

2.2.1 디자인과 혁신의 연결

디자인과 혁신 간의 연결은 더 깊은 차원에서 기업이 진정한 변화와 성장을 이루어 내는 핵심입니다. 이 연결에서 부각되는 몇 가지 핵심적 개념은 아래와 같습니다.

사용자 중심의 디자인에서의 문제 해결과 창의성

디자인은 사용자의 요구와 불편을 해결하는 것에서 시작됩니다. 사용자 중심의 디자인은 사용자의 눈높이에서 문제를 인식하고, 창의적인 디자인 솔루션을 제시하여 혁신적 가치를 창출합니다. 이는 사용자들이 실제로 필요로 하는 제품 또는 서비스를 개발함으로써 기업이 지속적으로 성장할 수 있도록 합니다.

실험과 반복을 통한 변화의 주도

디자인과 혁신은 실험과 반복을 통해 주도되는 과정입니다. 실험을 통한 빠른 학습과 민첩한 조정은 혁신적인 솔루션을 더욱 강력하게 만듭니다. 디자인 프로세스의 반복은 초기에 발견된 문제점을 신속하게 해결하고, 지속적인 개선과 혁신을 가능케 합니다.

사용자 중심의 디자인과 브랜드 가치

브랜드의 감성적 가치는 사용자 중심의 디자인을 통해 부각됩니다. 혁신적이고 강렬한 디자인은 브랜드에 긍정적인 이미지를 부여하고, 사용자들과의 감성적 연결을 강화합니다. 이는 브랜드의 선도적 입지를 구축하며, 시장에서의 차별화를 이루어내는 데에 기여합니다.

브랜드의 강화를 통한 시장 선도

디자인과 혁신은 기업의 브랜드 강화를 통해 시장에서 선도적 역할을 합니다. 혁신적인 디자인은 기업의 독특한 아이덴티티를 형성하고, 경쟁에서 두드러진 존재로 부상함으로써 고객들에게 더 긍정적이고 인상적인 브랜드 경험을 제공합니다.

이러한 다양한 측면에서 디자인과 혁신은 단순한 비즈니스 전략이상으로 기업이 지속적인 성장과 발전을 이루어낼 수 있는 필수적인 역할을 수행합니다. 사용자 중심의 디자인과 실험적 접근, 브랜드의 강화 등이 통합된 전략은 기업이 미래에 대비하고 지속적인 가치를 창출하는 데에 기여하게 될 것입니다.

2.2.2 성공적인 혁신의 사례

Apple의 iPhone

배경:

2007년, Apple은 스마트폰 시장을 혁신적으로 뒤바꾸는 제품을 선보였습니다. iPhone은 이전까지의 휴대전화와는 차별화된 디자인과 혁신적인 기능으로 소비자들의 관심을 사로잡았습니다.

사용자 중심의 디자인:

iPhone의 가장 주목할 만한 특징 중 하나는 멀티 터치 스크린입니다. 이는 사용자에게 직관적이고 자연스러운 상호작용을 제공하며, 예전의 물리적 버튼이나 키패드와는 차원이 다른 사용자 경험을 선사했습니다. 누구나 쉽게 접근할 수 있는 UI/UX 디자인은 다양한 연령대의 사용자에게 친숙하게 다가갔습니다.

기술적 혁신:

iPhone은 단순한 통화 기능을 넘어 다양한 기술 혁신을 포함하고 있었습니다. App Store를 통한 앱 다운로드, 고화질의 카메라, 그리고 사용자의 음성으로 조작 가능한 Siri 등은 스마트폰의 개념을 새롭게 정의하며 시장에 혁신을 가져왔습니다.

영향과 결과:

iPhone의 성공은 새로운 시장을 개척하고 기존 시장을 혁신하며, Apple을 세계적인 기술 기업으로 만들었습니다. 이는 소비자들에게 더 나은 사용자 경험을 제공하는 동시에, 기술 시장 전반에 혁신적인 표준을 제시했습니다. 특히, 사용자 중심의 디자인과 기술적 혁신이 상호보완적으로 작용하여 iPhone은 글로벌 스마트폰 시장을 선도하는 데에 성공했습니다.

이처럼, Apple의 iPhone은 사용자 중심의 디자인과 혁신적인 기술이 어떻게 조화를 이루어 시장을 선도하고 사용자 경험을 혁신하는 데에 성공했는지를 보여주는 대표적인 사례 중 하나입니다.

Netflix

배경:

Netflix는 DVD 대여 사업에서 온라인 비디오 스트리밍으로 전환함으로써 대규모 비즈니스 변화를 이끌었습니다. 이러한 전환은 사용자 경험 중심의 디자인과 기술적 혁신을 결합한 결과였습니다.

사용자 중심의 디자인:

Netflix는 고객의 Bedtime Story 같은 세션을 통해 사용자들이 어떤 시간에 얼마나 오랫동안 콘텐츠를 시청하는지를 이해하는 등, 사용자들의 행동에 대한 풍부한 데이터를 수집합니다. 이를 기반으로 한 맞춤형 추천 알고리즘은 사용자가 선호하는 콘텐츠를 제공하여 매우 편리한 시청 경험을 제공합니다.

기술적 혁신:

Netflix는 클라우드 기반의 기술을 통해 사용자에게 안정적이고 고화질의 스트리밍 서비스를 제공합니다. 또한, 오리지널 컨텐츠의 제작과 제공으로 독자적인 콘텐츠 생태계를 구축하였습니다. 이는 기존 케이블 TV와는 다른 새로운 비즈니스 모델을 제시했습니다.

영향과 결과:

Netflix의 UX 디자인과 기술적 혁신은 시청자들에게 최적화된 콘텐츠 제공을 가능케 하여 시청 시간과 이용 빈도를 증가시켰습니다. 동시에 오리지널 콘텐츠의 성공은 이용자들을 플랫폼에 끌어들여 경쟁사와 차별화를 이끌어냈습니다.

사용자와의 상호작용으로 이끈 비즈니스 성공:

Netflix는 사용자들의 피드백을 근거로 지속적인 플랫폼 업데이트를 진행하며, 이는 시청 경험을 개선하는 데 기여했습니다. 사용자 중심의 접근은 기업이 변화하는 미디어 소비 트렌드에 발맞추어 성공적으로 혁신하도록 돕고 있습니다.

이처럼, Netflix는 사용자 중심의 디자인과 기술적 혁신을 통해 전통적인 DVD 대여 사업에서 시작하여 현대적이고 혁신적인 온라인 비디오 스트리밍 서비스로 성장함으로써 어떻게 비즈니스를 변화시켰는지를 보여주는 대표적인 사례 중 하나입니다.

Slack

배경:

Slack은 업무용 메시징 플랫폼으로, 기업 내 의사소통 및 업무 협업을 위한 도구로 큰 인기를 얻었습니다.

실용적이고 직관적인 디자인:

Slack은 사용자들이 쉽게 익힐 수 있는 직관적인 디자인을 채택하여 업무 효율성을 높였습니다. 간단하면서도 강력한 기능을 제공하며, 사용자들이 복잡한 학습 과정 없이 빠르게 도구를 활용할 수 있게 했습니다.

실시간 협업과 소셜 요소의 결합:

Slack은 실시간 메시징과 협업 기능을 통합하여 업무의 실시간 소통을 강조합니다. 또한, 채널과 스레드를 통한 소셜 요소를 도입하여 사용자들이 효과적으로 소통하고 정보를 공유할 수 있도록 했습니다.

다양한 통합 기능 제공:

Slack은 다양한 서드파티 앱 및 서비스와의 통합을 허용하여, 사용자들이 하나의 플랫폼에서 업무에 필요한 여러 도구들을 한 곳에서 편리하게 사용할 수 있게 했습니다.

개방적인 피드백 수용:

사용자들의 다양한 피드백을 적극적으로 수용하며 서비스를 개선해나가는 방식을 채택했습니다. 사용자들의 요구사항을 신속하게 반영하여 지속적인 개선을 이루어내고 있습니다.

강력한 보안 및 데이터 관리:

업무용 메시징이라는 특성상 보안 문제에 민감한데, Slack은 강력한 보안 기능과 사용자 데이터의 효과적인 관리를 통해 기업들에게 안정성을 제공하고 있습니다.

이처럼, Slack은 사용자 중심의 디자인과 혁신적인 기능을 결합하여 업무 소통 및 협업 도구 시장에서 성공적으로 변화를 이끌고 있습니다.

UX를 통한 비즈니스 변화의 예시

2.3.1 기업들의 UX전략

Airbnb

사용자들에게 집에서 머물 경험을 주기 위해 집 주인과 손님 간의 원활한 소통을 지원하는 메시징 시스템을 도입. 집 검색과 예약 프로세스를 간소화하여 사용자 친화적인 플랫폼을 제공.

Spotify

AI 알고리즘을 통해 사용자의 음악 취향을 학습하고, 개인 맞춤형 플레이리스트를 생성하여 사용자에게 더 나은 음악 경험을 제공. 간단하면서도 진화하는 UI/UX 디자인을 통해 사용자들에게 편리함을 제공.

Netflix

개인화된 콘텐츠 추천 알고리즘을 통해 사용자의 시청 기록 및 취향을 분석하여 최적의 콘텐츠를 추천. 다양한 플랫폼과 기기에서 일관된 사용자 경험을 제공하여 편의성을 극대화.

Google

간단하고 직관적인 검색 인터페이스를 통해 사용자들이 빠르게 원하는 정보에 접근할 수 있도록 함. 모바일 최적화 및 음성 검색 등을 도입하여 사용자 편의성을 향상.

이중 Airbnb와 Spotify의 UX전략을 상세히 살펴보겠습니다.

Airbnb의 UX 전략

1. 사용자 중심의 디자인 (UCD):
Airbnb는 사용자 중심의 디자인 원칙을 심층적으로 수용하여, 웹사이트 및 애플리케이션의 사용자 경험을 최적화합니다. 간결하고 직관적인 디자인은 사용자가 편리하게 정보를 찾고 예약 프로세스를 완료할 수 있도록 돕습니다.

집주인-손님 간 소통의 강화:
Airbnb는 플랫폼 내에서 메시징 기능을 통한 원활한 소통을 지원합니다. 이를 통해 집주인과 손님은 예약 전후에 필요한 정보를 쉽게 교환하며, 상호 간의 신뢰 관계를 구축할 수 있습니다.

개인화된 추천 및 검색 기능:
고급 알고리즘을 활용하여 Airbnb는 사용자의 행동 패턴, 검색 기록, 선호 지역 등을 종합적으로 분석하여 최적화된 숙소 추천을 제공합니다. 이는 사용자들이 보다 맞춤형 서비스를 경험하도록 돕습니다.

모바일 최적화 및 간결한 예약 프로세스:
Airbnb는 뛰어난 모바일 최적화를 제공하며, 사용자들이 언제 어디서든 편리하게 예약할 수 있는 환경을 제공합니다. 직관적이고 간결한 예약 프로세스는 사용자들이 불필요한 복잡성 없이 목적지를 선택하고 예약을 완료할 수 있도록 돕습니다.

사용자 피드백 수렴 및 개선:
Airbnb는 사용자들의 다양한 피드백을 체계적으로 수집하고, 이를 서비스 개선에 활용합니다. 플랫폼의 지속적인 업데이트는 사용자들의 니즈에 부응하고, 긍정적인 사용자 경험을 제공함으로써 시장에서의 경쟁 우위를 유지합니다.
이와 같은 종합적인 UX 전략은 Airbnb를 성공적인 숙박 예약 플랫폼으로 만들어냈습니다.

Spotify의 UX 전략

1. 개인화된 음악 추천 알고리즘:
Spotify는 사용자의 음악 청취 기록, 선호 장르, 플레이리스트에 기반하여 개인화된 음악 추천을 제공합니다. 이를 통해 사용자는 새로운 음악을 발견하고, 자신만의 맞춤형 플레이리스트를 생성할 수 있습니다.
2. 유연한 음악 검색 및 재생:

획기적인 검색 엔진을 통해 Spotify는 사용자가 특정 음악을 빠르게 찾을 수 있도록 지원합니다. 또한, 사용자가 노래를 중간에 건너뛰거나 반복하는 등 음악 재생에 대한 유연성을 부여하여 편리한 사용 경험을 제공합니다.

3. 다양한 플랫폼 간 통합:
Spotify는 다양한 플랫폼에서 일관된 사용자 경험을 제공합니다. 웹 브라우저, 애플리케이션, 데스크톱 등에서 동일한 계정을 통해 음악 청취가 가능하며, 이는 사용자에게 편리한 이용 환경을 제공합니다.

4. 커뮤니티와의 상호작용 강화:
Spotify는 아티스트와 사용자 간의 상호작용을 강화하기 위한 다양한 기능을 제공합니다. 아티스트의 라이브 세션, 음악 플레이리스트 공유, 커뮤니티 기능 등을 통해 음악을 더 적극적으로 공유하고 소통할 수 있습니다.

5. 스토리텔링을 통한 사용자 감성 공감:
Spotify는 각 사용자에게 맞춤형된 스토리텔링을 제공하여 음악 청취를 더욱 감동적인 경험으로 전환합니다. 특별한 플레이리스트나 음악 추천 배경에는 감성적이고 이야기가 있는 콘텐츠를 제공하여 사용자에게 감성적인 공감을 이끌어냅니다.

Spotify의 주요 특징은 개인화된 추천, 사용자 중심의 검색 및 재생, 다양한 플랫폼 간 통합, 아티스트와 사용자 간 상호작용, 그리고 감성적 스토리텔링에 있어서 차별화되고 있습니다.

2.3.2 변화를 이끈 UX디자인의 특징

사용자 중심의 사고가 강조되면서, 제품이나 서비스의 사용자 경험을 개선하기 위한 디자인이 중요해졌습니다. 사용자의 니즈와 요구사항을 파악하고, 이를 충족시키기 위한 디자인을 통해 사용자의 만족도를 높이고, 비즈니스의 성과를 높일 수 있기 때문입니다.

데이터 기반의 의사결정은 UX디자인의 정확성과 효율성을 높이는 데 도움이 됩니다. 사용자의 행동과 경험에 대한 데이터를 수집하고 분석하여, 이를 바탕으로 디자인을 개선하고 발전시켜 나가는 것은 UX디자인의 성공에 필수적인 요소입니다. 데이터를 기반으로 한 UX디자인은 사용자의 경험을 보다 정확하게 이해하고, 이를 개선하기 위한 효과적인 방안을 도출할 수 있도록 도와줍니다.

협업과 통합은 UX디자인의 완성도를 높이고, 비즈니스의 성공을 위한 효과적인 디자인을 만들어 내는 데 도움이 됩니다. UX디자인은 다양한 분야의 전문가들이 협업하여 이루어지는 작업입니다. 디자이너, 개발자, 기획자, 마케팅 전문가 등 다양한 분야의 전문가들이 서로 협력하여 사용자 중심의 디자인을 만들어 나가야 비즈니스의 성공을 위한 효과적인 디자인을 만들어 낼 수 있습니다.

이러한 특징들은 비즈니스 적인 측면에서 UX디자인의 중요성을 높이고, UX디자인의 역할과 영역을 확대하는 데 기여했습니다.

구체적인 예를 들어 설명하자면, 사용자 중심의 사고가 강조되면서, 웹사이트나 모바일 앱의 디자인은 사용자의 편의성과 사용성을 고려하여 개선되었습니다. 또한, 데이터 기반의 의사결정이 강조되면서, 사용자의 행동과 경험에 대한 데이터를 수집하고 분석하여, 이를 바탕으로 제품이나 서비스의 디자인을 개선하는 것이 중요해졌습니다. 마지막으로, 협업과 통합이 강조되면서, UX 디자이너, 개발자, 기획자, 마케팅 전문가 등 다양한 분야의 전문가들이 협력하여 사용자 중심의 디자인을 만들어 내는 것이 중요해졌습니다.

이러한 변화로 인해, UX디자인은 비즈니스에서 중요한 역할을 차지하게 되었습니다. UX디자인을 통해 사용자의 경험을 개선하고, 비즈니스의 성과를 높이는 기업들이 늘어나고 있습니다.

이외에도 다음과 같은 특징들을 찾아볼 수 있습니다.

탐구와 실험 (Exploration and Experimentation): 새로운 아이디어와 기술을 탐구하며 실험하여 혁신적인 솔루션을 찾습니다.

다학제적 접근 (Multidisciplinary Approach): 디자이너, 엔지니어, 비즈니스 전문가 등 다양한 분야의 전문가들과 협업하여 통합된 해결책을 찾습니다.

유연성과 적응성 (Flexibility and Adaptability): 빠르게 변화하는 환경에 대응하기 위해 유연한 디자인과 조정 가능한 전략을 채택합니다.

비즈니스 목표와 일치 (Aligned with Business Objectives): 비즈니스 목표를 고려하면서 UX 디자인을 수립하여 비즈니스 성과에 기여합니다.

커뮤니케이션과 협업 (Communication and Collaboration): 효과적인 커뮤니케이션과 팀 간 협업을 통해 아이디어를 공유하고 문제를 해결합니다.

지속적인 개선 (Continuous Improvement): 사용자 피드백을 기반으로 지속적으로 디자인을 개선하며 최적화합니다.

이러한 특징들은 비즈니스적인 측면에서 UX디자인의 중요성을 높이고, UX디자인의 역할과 영역을 확대하는 데 기여했습니다.

UX디자인은 이러한 특징들을 바탕으로, 제품이나 서비스의 사용자 경험을 개선하고, 비즈니스의 성과를 높이는 데 중요한 역할을 차지하게 되었습니다.

3장 비즈니스 목표와 사용자 요구사항의 조화

사용자 연구와 비즈니스 목표의 통합

3.1.1효과적인 사용자 연구 방법

사용자 연구는 제품 또는 서비스를 디자인하는 핵심적인 단계로, 다양한 방법과 도구를 활용하여 사용자의 의견, 행동, 경험을 이해하는 것이 중요합니다.

다음과 같은 방법들이 사용자연구에 많이 활용되어왔습니다.

-인터뷰와 설문조사:

인터뷰: 개별 사용자와의 대화를 통해 집중된 정보 수집. 심층 인터뷰는 더 깊은 이해를 제공

설문조사: 대규모 사용자 샘플을 대상으로 정형화된 질문을 통해 통계적 데이터 수집

-관찰과 행동 분석:

사용자 행동 관찰: 사용자의 실제 행동을 기록하고 분석하여 인사이트 도출

사용자 테스트: 제품 또는 프로토타입을 사용자에게 테스트하도록 하는 방법. 실제 사용 시의 문제점 파악

-프로토타입 테스트:

초기 디자인을 테스트하여 개선 방향을 확인

발전 동향: 협업 도구를 통한 실시간 공유 및 피드백 기능 강화

-카드 정렬 테스트:

정보 구조를 이해하고 사용자의 카테고리화 방식을 확인

발전 동향: 비동기식 온라인 테스트 도구의 활용 증가

-히트맵 및 아이트래킹 분석:

사용자의 시선과 상호작용을 시각적으로 분석.

발전 동향: 머신러닝을 활용한 히트맵 분석 및 3D 아이트래킹 기술 도입.

-사용자 피드백 폼:

사용자들에게 직접 의견을 수렴.

발전 동향: 감정 분석을 통한 보다 정량적인 피드백 수집 방법의 개발.

사용자 연구에 대한 발전 동향과 새로운 방법론 들을 살펴보면 다음과 같이 요약할 수 있습니다.

양적 및 질적 방법 통합: 양적 데이터와 질적 데이터를 통합하여 더 전체적이고 심층적인 이해를 제공하는 방향으로 발전.

컨텍스트 인식 기술: IoT 기술과 결합하여 사용자의 실시간 행동을 자동으로 기록하고 분석하는 방법이 강조.

AI 및 머신러닝 활용: 대규모 데이터를 분석하고 사용자 행동 예측에 AI 및 머신러닝을 활용하여 미래 지향적인 연구가 확장.

효과적인 사용자 연구는 지속적인 발전과 함께 새로운 기술과 방법론을 통합하여 사용자의 니즈와 행동을 더 정확하게 이해하는 방향으로 진화하고 있습니다.

새로운 사용자 연구 툴과 서비스

Lookback:

특징: 실시간 사용자 피드백 및 화상 인터뷰 제공. 효과적인 리모트 연구에 적합.

활용: 웹 및 앱 디자인에 대한 사용자 경험 평가, 프로토타입 테스트.

UserTesting:

특징: 대규모 사용자 피드백 수집. 다양한 고객 프로파일로 테스트 가능.

활용: 웹사이트, 앱, 프로토타입에 대한 사용자 시나리오 테스트.

Optimal Workshop:
특징: 정보 구조 및 사용자 경로를 시각적으로 분석. 웹사이트 및 앱의 구조 최적화에 활용
활용: 카드 정렬 및 트리 테스트를 통한 정보 구조 개선
Crazy Egg:
특징: 웹사이트의 사용자 동작을 히트맵으로 시각화하여 분석. 사용자 이해에 기여
활용: 사용자의 클릭 패턴, 스크롤 동작 등을 분석하여 디자인 개선
Hotjar:
특징: 히트맵, 향후 사용자의 행동 예측, 피드백 폼 등 다양한 도구 제공.
활용: 사용자 행동을 종합적으로 분석하여 UX 개선
Miro:
특징: 협업을 위한 디지털 화이트보드. 설문조사 결과 및 팀간 의견 공유에 활용
활용: 공동 작업 및 의사 결정 프로세스를 지원
PlaybookUX:
특징: AI 기반 사용자 인사이트 도출. 빠른 시간 내에 사용자의 리얼타임 반응 분석.
활용: 디자인 콘셉트, 프로토타입 검증 및 사용자 인터뷰
UsabilityHub:
특징: 빠르게 테스트할 수 있는 다양한 도구 제공. 디자인 대안에 대한 사용자 의견 수집
활용: 로고, 랜딩 페이지 등 다양한 디자인 요소에 대한 A/B

테스트
새로운 사용자 연구 툴과 서비스는 더 강력한 기능과 사용자 경험을 제공하여 효과적인 디자인 결정과 개선에 기여하고 있습니다. 이러한 도구들을 통해 실시간 피드백 및 데이터 기반의 의사 결정이 가능하며, 다양한 사용자 연구 방법론에 적응할 수 있습니다

비즈니스 목표와의 조화

효과적인 사용자 연구 방법과 비즈니스 목표의 조화

사용자 연구 방법론은 지속적으로 진화하고 있으며, 이 진화는 비즈니스 목표 달성에 맞게 적응되고 있습니다. 아래는 현대 사용자 연구에서 발견된 주요 트렌드와 그것들이 비즈니스 목표와 어떻게 조화되는지에 대한 설명입니다.

-심층 인터뷰의 발전:

진화된 방법: 가상 혹은 증강 현실을 이용한 인터뷰, 사용자의 일상에 녹아 있는 환경에서의 특화된 상황 재현.

비즈니스 목표와의 조화: 현실적인 상황에서의 사용자 경험을 모방하므로 제품이나 서비스의 현실 성과를 예측하고 개선할 수 있음

-사용자 행동 분석의 발전:

진화된 방법: AI를 활용한 사용자 행동 예측, 향상된 데이터 시각화 도구 도입

비즈니스 목표와의 조화: 정교한 사용자 행동 예측은 제품 개선 및 마케팅 전략 수립에 도움이 되며, 시각화 도구는 비즈니스 인텔리전스에 기여

-프로토타입 테스트의 발전:

진화된 방법: 실시간 협업과 피드백 기능을 강화한 도구의 도입

비즈니스 목표와의 조화: 프로토타입의 효과적인 공유와 실시간 피드백은 제품 출시 전에 사용자 요구를 반영하고 개선할 수 있음

-카드 정렬 테스트의 발전:

진화된 방법: 비동기식 온라인 테스트 도구의 활용

비즈니스 목표와의 조화: 빠르게 변화하는 시장에서 신속한 의사 결정을 가능케 하며, 비동기식 방식은 급변하는 비즈니스 환경에 적응.

-히트맵 및 아이트래킹 분석의 발전:

진화된 방법: 머신러닝을 활용한 히트맵 분석 및 3D 아이트래킹 기술 도입.

비즈니스 목표와의 조화: 더 정확하고 효과적인 사용자 경로 분석을 통해 제품의 특정 부분에 대한 관심을 파악하고 최적화.

-사용자 피드백 폼의 발전:

진화된 방법: 감정 분석을 통한 보다 정량적인 피드백 수집 방법의 개발.

비즈니스 목표와의 조화: 감정 분석은 제품 혹은 서비스가 사용자에게 미치는 감정적 영향을 파악하고 브랜드 경험의 향상을 지원.

미우스트래킹에 대한 조망:
사용자 연구 방법과 비즈니스 목표의 조화는 기업이 효과적인 마케팅 및 제품/서비스 개발을 위해 필수적입니다. 이를 위해 다양한 사용자 연구 방법이 적용되며, 최근에는 마우스트래킹이 두각을 나타내고 있습니다.

1. 사용자 연구 방법의 진화와 효과적인 적용
초기의 사용자 연구 방법은 설문조사, 인터뷰, 피드백 수집 등이었습니다. 그러나 이러한 방법은 한계가 있어, 사용자의 정확한 행동 및 반응을 파악하기 어렵습니다. 최근에는 심리학, 행동경제학 등의 이론을 활용하여 사용자의 의도와 행동을 더 정확하게 이해하는데 주력하고 있습니다.
예를 들어, 사용자의 심리적 반응을 파악하기 위해 어떤 부분에서 스트레스를 느끼는지, 어떤 부분에서 만족감을 느끼는지 등을 심층적으로 분석하는 방법이 활용되고 있습니다.

2. 마우스트래킹의 역할과 적용
마우스트래킹은 사용자의 마우스 움직임을 기록하여 그 행동을 분석하는 기술입니다. 이는 사용자가 웹페이지나 앱에서 어떤 요소에 관심을 가지고 있는지, 어떤 경로로 이동하는지 등을 정확하게 파악할 수 있게 해줍니다.
마우스트래킹을 통해 사용자가 어떤 정보에 더 관심을 갖고 있는지, 어떤 부분에서 이탈하는지 등을 시각적으로 확인할 수 있습니다. 이는 비즈니스 목표에 부합하는 사용자 경험을 설계하고, 마케팅 전략을 세우는 데 유용하게 활용됩니다.

3. 조화를 이루는 방법
효과적인 사용자 연구를 위해서는 사용자 연구 방법과 마우스트래킹을 통합적으로 활용해야 합니다. 예를 들어, 설문조사나 인터뷰를 통해 사용자의 니즈와 행동 패턴을 이해하고, 그에 기반하여 마우스트래킹을 통해 사용자의 실제 행동을 시각적으로 분석함으로써 정량적 데이터와 질적 데이터를 함께 고려할 수 있습니다.
이를 통해 사용자 연구 방법과 마우스트래킹이 조화를 이루어 비즈니스 목표 달성을 지원하며, 더 나은 사용자 경험을 제공하는 방향으로 전략을 수립할 수 있습니다.

마우스트래킹은 다양한 서비스에서 사용자 행동을 분석하고 최적화하기 위해 활용되고 있습니다. 아래는 그 중 일부 서비스와 구체적인 활용 사례입니다.

1. 웹사이트 분석 도구 (Google Analytics, Hotjar, Mouseflow)

• Google Analytics: 마우스트래킹을 통해 사용자가 웹페이지에서 어떤 요소에 주로 클릭하거나 어떤 부분에서 이탈하는지 등을 시각적으로 파악할 수 있습니다. 이를 기반으로 웹페이지의 구조나 콘텐츠를 최적화할 수 있습니다.

• Hotjar: 사용자의 실제 동작을 화면 녹화하여 제공하는 서비스로, 웹사이트의 특정 페이지에서 사용자가 어떻게 상호작용하는지를 상세히 파악할 수 있습니다. 이를 통해 디자인 수정이나 사용자 경로 최적화에 활용됩니다.

• Mouseflow: 비슷한 역할을 하는 마우스트래킹 도구로, 사용자의 클릭, 이동, 스크롤 등 다양한 행동을 기록하고 분석합니다. 이를 통해 사용자의 선호도나 불편한 점을 파악하여 개선에 활용할 수 있습니다.

2. 전자상거래 플랫폼

• Amazon, eBay 등 전자상거래 플랫폼: 마우스트래킹을 통해 사용자가 특정 제품에 얼마나 오래 주목하는지, 어떤 제품을 클릭하고 구매하는지를 파악합니다. 이를 통해 제품 페이지 디자인이나 추천 알고리즘을 개선하고 사용자 경험을 향상시킵니다.

3. 앱 및 소프트웨어 인터페이스

• 모바일 앱 및 소프트웨어 인터페이스: 모바일 앱에서도 마우스트래킹에 상응하는 터치 이벤트 추적이 활발히 이루어지

고 있습니다. 사용자가 어떤 버튼을 자주 누르는지, 특정 기능을 어떻게 사용하는지 등을 파악하여 UI/UX 디자인을 최적화합니다.

4. 광고 및 마케팅 캠페인
• 광고 및 마케팅 분야: 마우스트래킹을 이용하여 광고 랜딩 페이지에서 사용자가 어떤 광고에 가장 많이 반응하는지, 어떤 부분에서 이탈하는지를 파악하여 광고 콘텐츠를 최적화합니다.
이러한 서비스들은 마우스트래킹을 통해 얻은 데이터를 분석하여 사용자 경험을 개선하고 비즈니스 목표를 달성하기 위한 전략을 수립합니다.

이러한 사용자 연구의 발전은 사용자 중심의 디자인을 높이고, 비즈니스 목표에 맞게 데이터와 통찰력을 제공함으로써 현대 기업이 신속하고 효과적으로 변화하는 환경에 적응할 수 있도록 도와주고 있습니다.

전략적 사용자 연구 방법론과 비즈니스 목표의 일치

3.1.1목표달성을 위한 방법론

각 사용자 연구 방법론은 특정 비즈니스 목표를 달성하기 위해 특화되어 있습니다. 여러 방법을 통합하면서 어떤 목표를 이룰 수 있는지 구체적으로 살펴보겠습니다.

유저 퍼스널리티 연구:

목표 달성: 제품이나 서비스의 디자인, 콘텐츠, 마케팅 전략을 퍼스널리티에 맞게 조정하여 사용자와 감성적으로 연결되도록 설계합니다.

사례: 특정 사용자 그룹에게 맞춤형 콘텐츠를 제공하여 브랜드 로얄티 향상.

심리학적 인터뷰와 관찰:

목표 달성: 사용자의 행동과 의도를 이해하여 제품 또는 서비스의 사용자 경험을 최적화하고, 사용자들이 직면한 문제를 해결합니다.

사례: 사용자 피드백을 바탕으로 제품의 인터페이스 개선 및 사용자 경험 향상.

사용자 여정 매핑(Journey Mapping):

목표 달성: 사용자가 제품 또는 서비스를 이용하는 과정을 파악하여 각 단계에서 발생하는 문제점을 해결하고 최적의 사용

자 경로를 도출합니다.

사례: 구매 프로세스 중 단계마다의 사용자 반응을 분석하여 유입 경로 최적화.

컨셉 테스트와 프로토타이핑:

목표 달성: 새로운 제품이나 기능에 대한 사용자 피드백을 통해 초기에 문제를 파악하고, 사용자의 요구에 빠르게 대응하여 개선합니다.

사례: 초기 프로토타입을 사용자에게 제공하여 피드백을 수렴하고 제품 디자인에 반영.

사용자 데이터 분석과 인사이트 도출:

목표 달성: 통계적 데이터 분석을 통해 사용자 그룹의 특성을 이해하고, 비즈니스 목표에 부합하는 전략을 개발합니다.

사례: 특정 지표(예: 이탈률)를 통한 데이터 분석을 통해 사용자 행동에 대한 통찰을 얻어 전환율 향상.

이와 같이 각 방법론은 특정 비즈니스 목표와 연결되어 있으며, 이를 종합적으로 활용하여 사용자 연구를 진행함으로써 비즈니스의 성공적인 발전을 이끌어낼 수 있습니다.

이러한 방법론들을 효과적으로 활용하기 위한 프로세스는 다음과 같을 수 있습니다.

비즈니스 목표 설정:
효과: 비즈니스 목표를 정확히 이해하고 명확하게 설정함으로써, 사용자 연구를 진행할 때 어떤 측면에 중점을 둘지 결정할 수 있습니다.

종합적인 사용자 연구 계획 수립:
효과: 여러 방법론을 종합적으로 활용할 수 있는 계획을 수립합니다. 예를 들어, 특정 프로젝트 단계에서는 심리학적 인터뷰와 관찰을 진행하고, 다음 단계에서는 컨셉 테스트와 프로토타이핑을 진행할 수 있습니다.

연구 참여자 선정:
효과: 각 방법론에 따라 필요한 참여자 프로필을 설정하고 선정함으로써, 특정 목표에 맞춘 풍부한 인사이트를 얻을 수 있습니다.

연구 수행 및 데이터 수집:
효과: 각 방법론에 따라 정의된 연구를 진행하고 데이터를 수집합니다. 이 단계에서는 다양한 연구방법을 사용하여 다채로운 정보를 확보합니다.

데이터 분석과 인사이트 도출:
효과: 각 데이터를 분석하여 비즈니스 목표와 연관된 인사이

트를 도출합니다. 사용자의 행동, 의도, 요구에 대한 깊은 이해를 얻을 수 있습니다.

통합된 전략 수립:
효과: 다양한 연구 결과를 종합하여 통합된 전략을 수립합니다. 여러 방법론에서 얻은 정보를 교차로 검증하여 보다 신뢰성 있는 전략을 도출합니다.

반복과 개선:
효과: 사용자 연구의 결과를 바탕으로 제품, 서비스, 마케팅 전략을 지속적으로 개선합니다. 특히, 반복적인 사용자 연구를 통해 변화하는 사용자 요구에 빠르게 대응할 수 있습니다.

이러한 프로세스를 통해 다양한 사용자 연구 방법론을 유기적으로 결합하고, 비즈니스 목표에 부합하는 방향으로 진행함으로써 더 효과적인 결과를 얻을 수 있습니다.

3.2.12비즈니스 목표 달성 사례

제품 개선을 통한 시장 점유율 확대

비즈니스 목표: 시장에서의 점유율 확대

방법론: 사용자 피드백 수집, 프로토타입 테스트, A/B 테스트

수행 내용: 사용자 피드백을 체계적으로 수집하고, 이를 바탕으로 제품의 프로토타입을 개발하여 테스트합니다. A/B 테스트를 통해 사용자들의 선호도를 파악하고, 이를 반영하여 제품을 개선하며 출시합니다.

결과: 사용자 중심의 제품 디자인으로 시장에서 긍정적인 평가를 받아 시장 점유율이 확대되었습니다.

서비스 개편을 통한 고객 충성도 증진

비즈니스 목표: 고객 충성도 향상 및 재구매율 증가

방법론: 고객 경험 조사, 사용자 인터뷰, UX/UI 디자인 개선

수행 내용: 기업은 현재 서비스에 대한 고객의 경험을 체계적으로 조사하고, 사용자 인터뷰를 통해 고객의 의견을 수집합니다. 이를 바탕으로 UX/UI 디자인을 개선하여 새로운 서비스를 제공합니다.

결과: 고객들의 긍정적인 피드백이 증가하며 고객 충성도가 상승하였고, 재구매율도 증가했습니다.

마케팅 캠페인의 효과적인 전략 수립

비즈니스 목표: 마케팅 캠페인의 성과 향상

방법론: 사용자 행동 분석, A/B 테스트, 퍼널 분석

수행 내용: 기업은 마케팅 캠페인에 대한 사용자의 행동을 분

석하고, 퍼널 분석을 통해 어떤 단계에서 이탈이 많이 발생하는지를 확인합니다. A/B 테스트를 진행하여 광고 콘텐츠와 전략을 최적화하고 성과를 향상시킵니다.

결과: 데이터 기반의 마케팅 전략 수립으로 캠페인의 효과가 향상되어 비즈니스 목표를 달성하였습니다.

사용자 참여를 통한 콘텐츠 품질 개선

비즈니스 목표: 사용자 참여 증가 및 콘텐츠 품질 향상

방법론: 커뮤니티 참여 모니터링, 사용자 피드백 세션

수행 내용: 기업은 사용자 참여를 촉진하기 위해 온라인 커뮤니티를 모니터링하고, 사용자 피드백 세션을 개최하여 콘텐츠의 개선 사항을 도출합니다.

결과: 사용자들의 적극적인 참여로 콘텐츠 품질이 향상되었고, 이에 따라 사용자 참여와 만족도가 상승하였습니다.

개인화 추천 시스템 구축을 통한 맞춤형 서비스 제공

비즈니스 목표: 맞춤형 서비스로의 전환 및 고객 로열티 증대

방법론: 개인화 추천 알고리즘 구축, 사용자 데이터 분석

수행 내용: 기업은 사용자의 행동 데이터를 분석하여 맞춤형 추천 알고리즘을 구축하고, 이를 서비스에 적용하여 사용자에게 최적화된 콘텐츠를 제공합니다.

결과: 개인화된 서비스로 사용자들의 만족도가 상승하며, 맞춤형 추천으로 고객 로열티가 증가하였습니다.

이러한 다양한 사례들은 사용자 연구 방법론을 활용하여 다양한 비즈니스 목표를 성공적으로 달성하는데 기여하고 있습니다.

3.3 사용자 인사이트를 활용한 전략적 경험 디자인

3.2.12사용자 인사이트의 가치

사용자 인사이트는 사용자의 행동, 선호도, 욕구 등에 대한 깊은 이해를 의미합니다. 이는 사용자가 제품이나 서비스를 사용하면서 남기는 다양한 데이터와 피드백을 분석하고 해석하여 얻어집니다. 사용자 인사이트는 사용자의 관점에서 특정 제품 또는 서비스에 대한 심층적인 통찰력을 제공하며, 기업이 사용자 중심의 전략을 수립하고 효과적으로 구현하는 데에 큰 역할을 합니다.

사용자 인사이트를 얻기 위해선 다양한 방법이 사용되며, 사용자 조사, 행동 분석, 피드백 수집, 사용자 테스트 등이 포함될 수 있습니다. 이러한 데이터를 통해 기업은 사용자가 어떻게 제품 또는 서비스를 경험하는지, 어떤 Bedrocks로 고려되는지, 그리고 어떤 변화나 개선이 필요한지에 대한 통찰력을 얻게 됩니다.

결국, 사용자 인사이트는 기업이 사용자의 니즈와 기대를 더 정확히 파악하고, 그에 맞게 제품이나 서비스를 개선하는 데에 중요한 역할을 합니다. 이는 고객 충성도를 높이고 브랜드의 경쟁력을 강화하여 지속적인 성장과 발전을 이끌어내기 위한 필수적인 도구로 사용됩니다.

고객 이해 강화: 사용자 인사이트는 고객에 대한 보다 깊은 이해를 제공합니다. 기업은 사용자의 심리, 행동, 선호도를 파악하고 분석함으로써 고객의 더 나은 경험을 위해 핵심적인 측면을 파악할 수 있습니다. 이는 단순히 제품이나 서비스를 고객에게 판매하는 것을 넘어, 고객이 무엇을 원하고 필요로 하는지를 더 깊이 이해하는데 도움이 됩니다.

항목 해석: 사용자 인사이트는 사용자의 심리, 행동, 선호도 등을 파악하는 데 중점을 둡니다.

가치: 이는 고객에 대한 심층적인 이해를 제공합니다. 고객의 행동 및 경험에 대한 깊은 통찰력은 기업이 고객의 관점에서 비즈니스를 이해하고 반영할 수 있게 도와줍니다.

맞춤형 서비스 제공: 기업은 사용자 인사이트를 활용하여 각 사용자에게 맞춤형 서비스를 제공할 수 있습니다. 이는 개별 사용자의 요구를 신속하게 파악하고 반영함으로써 고객에게 보다 맞춤형이고 개인화된 경험을 제공할 수 있습니다. 사용자는 이러한 맞춤형 서비스를 통해 높은 만족도를 경험하게 되며, 이는 고객 충성도의 증가로 이어질 수 있습니다.

항목 해석: 사용자 인사이트는 사용자의 선호도와 요구에 기반

하여 맞춤형 서비스를 제공할 수 있습니다.

가치: 이는 기업이 각 사용자에게 최적화된 경험을 제공하여 고객 만족도를 높일 수 있도록 도와줍니다.

경쟁 우위 확보: 사용자 인사이트를 통해 경쟁사보다 우수한 사용자 경험을 제공함으로써 기업은 시장에서의 경쟁 우위를 확보할 수 있습니다. 고객이 보다 나은 서비스를 경험하면 브랜드에 대한 긍정적인 이미지를 형성하게 되어, 시장에서의 기업의 위치를 강화할 수 있습니다. 이는 장기적인 성공과 지속적인 성장을 위한 기반을 마련합니다.

항목 해석: 사용자 인사이트는 경쟁 시장에서 경쟁 우위를 확보하는 데에 기여합니다.

가치: 경쟁사와 비교하여 사용자의 욕구와 니즈를 더 정확히 파악하고, 이를 기반으로 경쟁력을 향상시키는 데 도움을 줍니다.

그 밖의 사용자 인사이트의 가치

전략적인 제품/서비스 개선:

항목 해석: 사용자 인사이트를 기반으로 기업은 제품이나 서비스를 지속적으로 개선할 수 있습니다.

가치: 이는 기업이 사용자의 피드백을 수용하고 신속하게 반영하여 제품/서비스를 향상시킬 수 있도록 도와줍니다.

신뢰와 충성도 증진:

항목 해석: 사용자 인사이트를 통해 개개인의 요구에 부응하는 경험을 제공할 수 있습니다.

가치: 이는 사용자들이 기업을 신뢰하며 충성도를 높일 수 있게 하여 장기적인 고객 유지에 기여합니다.

따라서 사용자 인사이트는 기업이 고객을 보다 깊이 이해하고, 이를 통해 고객 중심의 전략을 세우고 구현하는데 필수적인 도구로 작용합니다. 이는 단순한 거래 관계를 넘어서 고객과의 긴밀한 관계를 형성하고, 변화하는 시장에서 경쟁우위를 확보하는 핵심적인 역할을 수행하며 고객과의 긍정적 상호작용을 촉진하고, 기업이 전략적으로 비즈니스를 이끄는 데에 큰 가치를 지닙니다.

3.2.12경험디자인의 전략적 활용

경험디자인은 사용자의 경험을 중심으로 제품, 서비스, 시스템을 설계하는 과정이라고 할 수 있습니다. 사용자의 니즈와 기대를 충족시키고, 사용 편의성을 높이며, 가치 있는 경험을 제공하는 것을 목표합니다.

경험디자인은 기업의 전략적 목표 달성에 기여할 수 있는 강력한 도구라고 할 수 있습니다. 경험디자인을 전략적으로 활용하면 다음과 같은 효과를 얻을 수 있습니다.

고객 만족도 향상

경험디자인은 사용자의 니즈와 기대를 충족시키는 데 초점을 맞춘다. 따라서 경험디자인을 통해 설계된 제품, 서비스, 시스템은 사용자의 만족도를 높일 수 있다. 이는 고객 충성도 및 재구매율 증가로 이어질 수 있다.

비즈니스 성과 개선

경험디자인은 사용자의 사용 편의성을 높이고, 가치 있는 경험을 제공한다. 이는 사용자의 행동을 변화시키고, 기업의 비즈니스 성과를 개선하는 데 도움이 될 수 있다. 예를 들어, 경험디자인을 통해 설계된 웹사이트는 사용자의 전환율을 높일 수 있고, 경험디자인을 통해 설계된 제품은 사용자의 구매 빈도를 증가시킬 수 있다

기업 문화 개선

경험디자인은 사용자 중심의 사고 방식을 기업 문화에 내재화하는 데 도움이 될 수 있다. 경험디자인을 통해 기업은 사용자의 니즈와 기대를 이해하고, 사용자의 관점에서 생각하는 방법을 배울 수 있다. 이는 기업의 의사 결정 과정을 개선하고, 기업의 경쟁력을 강화하는 데 도움이 될 수 있다.

경험디자인의 전략적 활용을 위해서는 다음과 같은 사항에 유의해야 합니다.

기업의 전략적 목표를 명확히 정의해야 한다. 경험디자인을 통해 달성하고자 하는 목표를 명확히 정의해야 한다. 목표를 정의하는 과정에서 기업의 비전, 미션, 가치 등을 고려해야 한다.

사용자의 니즈와 기대를 이해해야 한다. 경험디자인의 핵심은 사용자의 니즈와 기대를 충족시키는 것이다. 따라서 사용자의 니즈와 기대를 이해하기 위한 노력이 필요하다. 사용자 연구, 인터뷰, 설문조사 등을 통해 사용자의 니즈와 기대를 파악해야 한다.

전략적 사고 방식을 적용해야 한다. 경험디자인은 단순히 제품이나 서비스의 디자인을 개선하는 것이 아니다. 기업의 전략적 목표 달성에 기여할 수 있는 전략적 사고 방식을 적용해야 한다.

경험디자인은 기업의 경쟁력을 강화하고, 새로운 가치를 창출하는 데 기여할 수 있는 강력한 도구이며 경험디자인의 전략적 활용을 통해 기업은 고객 만족도, 비즈니스 성과, 기업 문화를 개선할 수 있습니다.

경험디자인의 전략적 활용 사례

경험디자인은 다양한 분야에서 전략적으로 활용되고 있다습니다. 다음은 경험디자인의 전략적 활용 사례들입니다.

금융 서비스

금융 서비스 분야에서는 경험디자인을 통해 사용자의 편의성을 높이고, 고객 만족도를 개선하는 데 노력하고 있다. 예를 들어, 은행은 모바일 뱅킹 앱을 통해 사용자의 거래 편의성을 높이고, 보험사는 온라인으로 보험 가입 및 청구를 할 수 있도록 서비스를 개선하고 있다.

유통 서비스

유통 서비스 분야에서는 경험디자인을 통해 사용자의 구매 경험을 개선하는 데 노력하고 있다. 예를 들어, 쇼핑몰은 사용자의 쇼핑 편의성을 높이기 위해 검색 기능을 개선하고, 오프라인 매장은 사용자의 체험을 강화하기 위해 매장을 리뉴얼하고 있다.

콘텐츠 서비스

콘텐츠 서비스 분야에서는 경험디자인을 통해 사용자의 몰입도를 높이고, 콘텐츠 소비를 활성화하는 데 노력하고 있다. 예를 들어, OTT 서비스는 사용자의 시청 편의성을 높이기 위해 콘텐츠 추천 기능을 개선하고, 게임 서비스는 사용자의 게임 경험을 강화하기 위해 게임 인터페이스를 개선하고 있다.

이러한 사례에서 알 수 있듯이 경험디자인은 다양한 분야에서 전략적으로 활용되고 있으며, 기업의 경쟁력을 강화하고, 새로운 가치를 창출하는 데 기여하고 있습니다.

4장 감정적 상호작용과 비즈니스에 미치는 영향

4.1사용자 연구와 비즈니스 목표의 통합

4.1.1감성적 디자인의 원리

감정적 디자인은 사용자들에게 긍정적인 감정을 전달하고, 그것이 비즈니스 성과에 어떤 영향을 미치는지에 중점을 둔 디자인 접근 방식입니다. 이는 다양한 원리와 기법을 활용하여 심미적인 즐거움과 감동을 창출하며, 비즈니스 성과에 긍정적인 영향을 미칩니다.

다시 말해서 감성적 디자인은 제품, 서비스, 브랜드, 또는 사용자 경험의 디자인에서 감정적 요소를 고려하여 사용자에게 긍정적인 감정을 전달하고자 하는 디자인 접근 방식입니다. 이는 제품이나 서비스의 시각적인 측면뿐만 아니라 사용자가 제품, 서비스와 상호 작용할 때 느끼는 감정까지 종합적으로 고려합니다.

감성적 디자인은 사용자에게 긍정적인 감정을 제공함으로써 브랜드 충성도를 높이고, 제품이나 서비스의 인지도를 향상시키며, 구매 결정에 긍정적인 영향을 미치는 것을 목표로 합니다. 이를 위해 감성적 디자인은 다양한 디자인 요소와 기법을 사용하여 사용자에게 유용하고 즐거운 경험을 제공하고자 합니다.

주요 특징으로는 아름다움, 감동, 참신함 등이 있으며, 사용자의 심리적, 감성적인 요소를 중시하여 제품이나 서비스의 가치를 높이는 것이 목표입니다. 이는 디자인이 사용자에게 단순히 기능적인 가치 뿐만 아니라 감정적인 연결을 형성하는 데에 중점을 둔 것으로 이해할 수 있습니다.

감성적 디자인의 주요 원리 중 하나는 감성적 호응을 일으키는 디자인 요소의 활용이다. 컬러, 형태, 일러스트레이션 등은 사용자의 감정과 직결되며, 이러한 디자인 요소들을 적절히 활용함으로써 사용자에게 긍정적인 감정을 전달할 수 있다.

사용자 중심의 디자인 프로세스를 통한 고객 인식 확보: 감성적 디자인은 사용자의 니즈와 선호도를 정확히 파악하는 사용자 중심의 디자인 프로세스와 결합된다. 사용자의 감성적 반응을 체계적으로 조사하고 분석함으로써 감성적 디자인이 사용자에게 더 가치 있는 경험을 제공할 수 있다.

일관성 있는 브랜드 경험 제공: 감성적 디자인은 브랜드의 정체성과 일관성을 강화하며 일관된 감성적 요소를 브랜드 디자인 전반에 걸쳐 유지함으로써 사용자는 브랜드와의 긍정적인 연결을 형성하게 되며, 이는 브랜드 충성도의 증가와 연결된다.

감성적 디자인은 사용자의 감성을 고려하여 제품, 서비스, 시스템을 설계하는 과정이다. 사용자의 감성을 자극하여 만족감, 즐거움, 몰입감을 제공하는 것을 목표로 합니다.

감성적 디자인의 원리는 크게 다음과 같이 정리할 수 있습니다.

사용자의 감성을 이해하기

감성적 디자인의 첫 번째 단계는 사용자의 감성을 이해하는 것이다. 사용자의 감성은 문화, 가치관, 경험 등 다양한 요인에 의해 영향을 받는다. 따라서 사용자 연구, 인터뷰, 설문조사 등을 통해 사용자의 감성을 이해하는 노력이 필요하다.

감성적 요소를 활용하기

사용자의 감성을 이해한 후에는 감성적 요소를 활용하여 제품, 서비스, 시스템을 설계해야 한다. 감성적 요소는 시각적 요소, 청각적 요소, 촉각적 요소, 후각적 요소, 미각적 요소 등으로 나눌 수 있다. 각 요소는 사용자의 감성을 자극하는 다양한 방법으로 활용될 수 있다.

감성적 경험을 설계하기

감성적 요소를 활용한 후에는 감성적 경험을 설계해야 한다. 감성적 경험은 사용자의 감성이 유발되고, 유지되며, 강화되는 과정을 의미한다. 감성적 경험을 설계하기 위해서는 사용자의 욕구, 기대, 행동 등을 고려해야 한다.

감성적 디자인의 원리를 적용한 사례

감성적 디자인의 원리는 다양한 분야에서 적용되고 있다. 다음은 감성적 디자인의 원리를 적용한 사례이다.

<애플의 아이폰>

애플의 아이폰은 감성적 디자인의 대표적인 사례로 꼽힌다. 아이폰은 깔끔하고 세련된 디자인, 직관적인 사용성, 감각적인 인터페이스 등으로 사용자의 감성을 자극한다.

<스타벅스의 매장>

스타벅스의 매장은 편안하고 아늑한 분위기를 조성하여 사용자의 감성을 자극한다. 부드러운 조명, 아늑한 인테리어, 은은한 음악 등이 사용자에게 편안함과 휴식을 제공한다.

<디즈니의 제품>

디즈니의 제품은 동화 같은 세계관과 캐릭터를 통해 사용자의 감성을 자극한다. 디즈니의 제품은 사용자에게 즐거움과 행복을 선사한다.

감성적 디자인의 비즈니스 영향

감성적 디자인은 비즈니스 성과에 다양한 영향을 미칠 수 있습니다. 다음은 감성적 디자인의 비즈니스 영향을 기술한 내용입니다.

고객 만족도 향상

감성적 디자인은 사용자의 감성을 자극하여 만족도를 향상시킬 수 있다. 만족도가 높은 사용자는 충성도가 높고, 재구매 가능성이 높다.

비즈니스 성과 개선

감성적 디자인은 비즈니스 성과를 개선하는 데 도움이 될 수 있다. 예를 들어, 감성적 디자인을 통해 설계된 제품은 판매량이 증가하고, 감성적 디자인을 통해 설계된 서비스는 이용률이 증가할 수 있다.

기업 이미지 제고

감성적 디자인은 기업 이미지를 제고하는 데 도움이 될 수 있다. 감성적 디자인을 통해 설계된 제품이나 서비스는 사용자에게 좋은 인상을 남기고, 기업의 브랜드 가치를 높일 수 있다.

감성적 디자인은 사용자의 감성을 고려하여 제품, 서비스, 시스템을 설계하는 과정을 포함합니다. 감성적 디자인을 통해 사용자의 만족도, 비즈니스 성과, 기업 이미지 등을 향상시킬 수 있습니다.

회사 대표에게 전하는 말
회사 대표 여러분,
감성적 디자인은 비즈니스 성과를 향상시키는 데 중요한 역할을 합니다. 감성적 디자인을 통해 사용자의 감성을 자극하고, 만족감을 제공한다면, 이는 비즈니스 성과로 이어질 것입니다.

감성적 디자인을 도입하기 위해서는 다음과 같은 사항을 고려해야 합니다.

사용자의 감성을 이해하기
감성적 요소를 활용하기
감성적 경험을 설계하기

감성적 디자인은 어렵지 않습니다. 사용자의 감성을 이해하고, 이를 고려하여 제품, 서비스, 시스템을 설계하는 일련의 과정을 통해 비즈니스 완성도를 향상하는 방법을 모색하시길 바랍니다.

4.1.2비즈니스 성과에 미치는 영향

감정적 디자인은 제품이나 서비스의 사용 경험을 통해 소비자에게 긍정적인 감정을 불러일으키는 디자인을 의미합니다. 감정적 디자인은 소비자의 만족도와 충성도를 높이고, 비즈니스 성과를 향상시키는 데 기여할 수 있습니다.

감정적 디자인이 비즈니스 성과에 미치는 영향은 크게 다음과 같이 세 가지로 구분할 수 있습니다.

1. 고객 만족도 및 충성도 향상

감정적 디자인은 소비자에게 긍정적인 감정을 불러일으킴으로써, 고객 만족도 및 충성도를 향상시킬 수 있습니다. 예를 들어, 제품의 디자인이 아름답고 매력적이면, 소비자는 제품에 대한 만족도가 높아지고, 제품에 대한 애착을 갖게 됩니다. 또한, 서비스의 사용 경험이 편리하고 즐거우면, 소비자는 서비스에 대한 만족도가 높아지고, 서비스에 대한 충성도를 갖게 됩니다.

고객 만족도 및 충성도가 높아지면, 기업은 다음과 같은 긍정적인 효과를 얻을 수 있습니다.

고객 이탈률 감소

고객 재구매율 증가

긍정적인 입소문 확산

2. 매출 및 수익 증대

감정적 디자인은 매출 및 수익 증대에 기여할 수 있습니다. 예를 들어, 제품의 디자인이 독특하고 매력적이면, 소비자의 주목을 끌고, 구매 욕구를 자극할 수 있습니다. 또한, 서비스의 사용 경험이 편리하고 즐거우면, 소비자는 서비스에 대한 만족도가 높아지고, 추가적인 소비를 유도할 수 있습니다.

매출 및 수익이 증대되면, 기업은 다음과 같은 긍정적인 효과를 얻을 수 있습니다.

재무 성과 개선

기업 가치 상승

3. 경쟁력 강화

감정적 디자인은 경쟁력 강화에 기여할 수 있습니다. 예를 들어, 제품이나 서비스의 디자인이 경쟁사 제품이나 서비스보다 우수하다면, 소비자의 선호도를 높일 수 있습니다. 또한, 제품이나 서비스의 사용 경험이 경쟁사 제품이나 서비스보다 우수하다면, 소비자의 만족도 및 충성도를 높일 수 있습니다.

경쟁력이 강화되면, 기업은 다음과 같은 긍정적인 효과를 얻을 수 있습니다.

시장 점유율 확대

신규 고객 유치

새로운 시장 진출

감정적 디자인은 비즈니스 성과를 향상시키는 데 중요한 역할을 할 수 있습니다. 기업은 감정적 디자인의 원리를 이해하고, 이를 비즈니스 전략에 적극적으로 활용함으로써, 경쟁에서 우위를 점할 수 있을 것입니다.

감정적 디자인을 통해 비즈니스 성과를 향상시키기 위해서는 다음과 같은 방법을 고려할 수 있습니다.

고객의 감성을 이해하고 공감하기: 감정적 디자인의 핵심은 고객의 감성을 이해하고 공감하는 것이다. 기업은 고객의 심리와 행동을 연구하여, 고객이 어떤 감정에 반응하는지 파악해야 한다.

감성적 요소를 제품이나 서비스에 반영하기: 고객의 감성을 자극할 수 있는 감성적 요소를 제품이나 서비스에 반영해야 한다. 색상, 형태, 소리, 촉감 등 다양한 감각을 자극할 수 있는 요소를 고려할 수 있다.

사용자 경험을 개선하기: 제품이나 서비스의 사용 경험을 개선함으로써, 고객에게 긍정적인 감정을 불러일으킬 수 있다. 제품이나 서비스의 사용이 쉽고 편리하며 즐거운지 평가하고, 개선할 수 있는 부분을 찾아야 한다.

기업은 이러한 방법을 통해 감정적 디자인을 효과적으로 구현하고, 비즈니스 성과를 향상시킬 수 있을 것입니다.

4.2감성적 상호작용의 경제학과 비즈니스 성과

4.2.1경제적인 측면에서의 감성적 상호작용

감성적 상호작용은 제품이나 서비스의 사용 경험을 통해 소비자에게 긍정적인 감정을 불러일으키는 상호작용을 의미합니다. 감성적 상호작용은 소비자의 만족도와 충성도를 높이고, 비즈니스 성과에 긍정적인 영향을 미칠 수 있습니다.

경제적인 측면에서 감성적 상호작용의 중요성은 다음과 같이 설명할 수 있습니다.

1. 소비자 행동의 결정 요인으로서의 감정

소비자의 행동은 다양한 요인에 의해 결정됩니다. 그 중에서도 감정은 소비자 행동에 중요한 영향을 미치는 요인 중 하나입니다. 소비자는 긍정적인 감정을 느끼는 제품이나 서비스에 더 많은 관심을 보이고, 구매할 가능성이 높습니다. 또한, 긍정적인 감정을 느끼는 제품이나 서비스에 대해 더 높은 가격을 지불할 의사가 있습니다.

2. 감성적 상호작용이 소비자 만족도 및 충성도를 높이는 효과

감성적 상호작용은 소비자에게 긍정적인 감정을 불러일으킴으로써, 소비자 만족도 및 충성도를 높이는 효과가 있습니다. 소비자 만족도가 높아지면, 소비자는 제품이나 서비스에 대한 재구매율이 높아지고, 경쟁사 제품이나 서비스로의 이탈률이 낮아집니다. 또한, 소비자 충성도가 높아지면, 소비자는 제품이나 서비스에 대한 긍정적인 입소문을 전파하는 등, 기업의 마케팅 활동에 기여합니다.

3. 감성적 상호작용이 매출 및 수익 증대에 미치는 영향

감성적 상호작용은 매출 및 수익 증대에 기여할 수 있습니다. 소비자 만족도 및 충성도가 높아지면, 매출 및 수익이 증가할 수 있습니다. 또한, 감성적 상호작용은 소비자의 추가적인 소비를 유도할 수 있습니다. 예를 들어, 소비자가 제품이나 서비스에 대한 긍정적인 감정을 느끼면, 제품이나 서비스의 연장 사용이나 추가 구매를 고려할 가능성이 높습니다.

4. 감성적 상호작용이 경쟁력 강화에 미치는 영향

감성적 상호작용은 경쟁력 강화에 기여할 수 있습니다. 감성적 상호작용을 통해 소비자 만족도 및 충성도를 높이면, 경쟁사 제품이나 서비스보다 우수한 경쟁력을 갖출 수 있습니다. 또한, 감성적 상호작용은 소비자의 선호도를 높이고, 시장 점유율 확대를 통해 경쟁력을 강화할 수 있습니다.

이처럼 감성적 상호작용은 경제적인 측면에서 소비자 행동의 결정 요인, 소비자 만족도 및 충성도, 매출 및 수익 증대, 경쟁력 강화 등 다양한 측면에서 중요한 역할을 합니다. 따라서, 기업은 감성적 상호작용을 효과적으로 구현함으로써, 비즈니스 성과를 향상시킬 수 있습니다.

감성적 상호작용은 경제적인 측면에서 기업에 다양한 이점을 제공합니다. 이러한 감성적 상호작용이 기업의 경제적 성과에 어떻게 기여하는지 살펴보겠습니다.

첫째로, 고객 충성도 강화: 감성적 상호작용은 고객들에게 긍정적인 경험을 제공함으로써 브랜드에 대한 신뢰와 충성도를 증진시킵니다. 고객이 감성적으로 기업과의 상호작용을 즐겁게 느끼면 이들은 해당 브랜드에 더 오래 머무르게 되며 반복 구매 및 서비스 이용의 가능성이 높아집니다.

둘째로, 구매 결정에 긍정적인 영향: 감성적 상호작용은 제품이나 서비스에 대한 긍정적인 감정을 유도함으로써 구매 결정에 긍정적인 영향을 미칩니다. 고객이 제품이나 서비스에 대해 긍정적인 감정을 갖게 되면, 이는 구매 의사 결정에 긍정적인 영향을 미치며 매출 증대로 이어질 수 있습니다.

셋째로, 브랜드 가치 향상: 감성적 상호작용은 브랜드의 감성적 가치를 향상시킵니다. 고객들이 기업과 상호작용하는 과정에서 느끼는 긍정적인 감정은 브랜드의 이미지를 강화하고, 이는 브랜드 가치의 상승으로 이어집니다.

넷째로, 유저 생성 콘텐츠 활성화: 감성적 상호작용은 소셜 미디어 및 다양한 온라인 플랫폼에서 유저 생성 콘텐츠를 활성화시킵니다. 긍정적인 경험이나 감정은 고객들로부터 긍정적인 리뷰, 공유, 추천을 유도하며, 이는 기업의 온라인 프로모션 및 마케팅에 긍정적인 영향을 미칩니다.

이처럼 감성적 상호작용은 기업의 경제적 성과에 다양한 측면에서 긍정적인 효과를 가져옵니다. 고객과의 감성적 연결을 통해 기업은 지속적인 성장과 경쟁 우위를 확보할 수 있습니다.

4.2.2성공적인 사례 분석

- Apple의 iPhone

그림1. 출처 www.apple.com

Apple의 iPhone은 감성적 상호작용의 대표적인 성공 사례입니다. iPhone은 뛰어난 디자인, 직관적인 사용성, 혁신적인 기능 등 다양한 감성적 요소를 통해 소비자에게 긍정적인 감정을 불러일으키고 있습니다. 이러한 감성적 상호작용은 iPhone의 높은 소비자 만족도 및 충성도에 기여하고 있습니다.

조사에 따르면, iPhone 사용자의 92%가 iPhone에 만족한다고 응답했으며, 86%가 iPhone에 충성도가 높다고 응답했습니다. 또한, iPhone은 출시 이후 전 세계적으로 20억 대 이상 판매되며, 스마트폰 시장에서 가장 성공적인 제품이 되었습니다.

• Starbucks의 커피

그림 2. 출처 www.sisajournal-e.com

Starbucks의 커피는 따뜻한 분위기와 편안한 분위기를 제공하는 감성적 상호작용으로 유명합니다. Starbucks 매장은 아늑하고 편안한 분위기를 조성하기 위해 따뜻한 조명과 부드러운 음악을 사용하고 있습니다. 또한, 직원들은 친절하고 전문적인 서비스로 고객에게 편안한 느낌을 제공합니다. 이러한 감성적 상호작용은 Starbucks의 높은 고객 만족도 및 충성도에 기여하고 있습니다.

조사에 따르면, Starbucks 고객의 97%가 Starbucks 커피에 만족한다고 응답했으며, 95%가 Starbucks에 충성도가 높다고 응답했습니다. 또한, Starbucks는 전 세계적으로 3만 7천여 개 이상의 매장을 운영하며, 커피 시장에서 가장 성공적인 기업 중 하나가 되었습니다.

이러한 사례에서 알 수 있듯이, 감성적 상호작용은 소비자의 만족도 및 충성도, 매출 및 수익 증대, 경쟁력 강화 등 다양한 경제적 성과를 가져올 수 있습니다. 따라서, 기업은 감성적 상호작용을 효과적으로 구현함으로써, 비즈니스 성과를 향상시킬 수 있습니다.

4.3UX를 통한 감성적 상호작용의 효과 측정

4.3.1효과 측정을 위한 지표

감성적 상호작용의 효과를 측정하기 위해서는 다양한 지표를 활용할 수 있습니다. 일반적으로 사용되는 지표는 다음과 같습니다.

만족도: 소비자가 제품이나 서비스에 대해 얼마나 만족하는지 측정하는 지표입니다. 설문조사, 인터뷰, 행동 분석 등을 통해 측정할 수 있습니다.

충성도: 소비자가 제품이나 서비스에 얼마나 충성도가 있는지 측정하는 지표입니다. 재구매율, 평점, 입소문 확산 등을 통해 측정할 수 있습니다.

사용성: 제품이나 서비스의 사용이 얼마나 편리하고 즐거운지 측정하는 지표입니다. 사용성 테스트, 설문조사 등을 통해 측정할 수 있습니다.

감정: 소비자가 제품이나 서비스에 대해 어떤 감정을 느끼는지 측정하는 지표입니다. 설문조사, 인터뷰, 감성 분석 등을 통해 측정할 수 있습니다.

이러한 지표를 활용하여, 감성적 상호작용이 소비자의 만족도 및 충성도, 사용성, 감정 등에 어떠한 영향을 미치는지 측정할 수 있습니다.

만족도와 충성도는 감성적 상호작용의 효과를 측정하는 가장 일반적인 지표입니다. 만족도와 충성도가 높을수록, 제품이나 서비스에 대한 소비자의 긍정적인 감정이 높다는 것을 의미합니다.

사용성은 감성적 상호작용이 제품이나 서비스의 사용 경험에 어떠한 영향을 미치는지 측정하는 지표입니다. 사용성이 높을수록, 제품이나 서비스의 사용이 편리하고 즐거운 것으로 인식됩니다.

감정은 감성적 상호작용이 소비자의 감정에 어떠한 영향을 미치는지 측정하는 지표입니다. 감정이 긍정적일수록, 제품이나 서비스에 대한 소비자의 만족도 및 충성도가 높아질 가능성이 높습니다.

이러한 지표를 활용하여, 감성적 상호작용이 소비자의 행동에 어떠한 영향을 미치는지 측정할 수 있습니다. 예를 들어, 만족도가 높은 소비자는 제품이나 서비스에 대한 재구매율이 높을 가능성이 높습니다. 또한, 충성도가 높은 소비자는 제품이나 서비스에 대한 긍정적인 입소문을 전파할 가능성이 높습니다.

4.3.2UX의 감성적 효과 분석

감성적 상호작용의 효과를 정량적으로 측정하기 위해서는 다양한 지표들을 활용할 수 있습니다. 이러한 지표들은 사용자 경험을 정확히 평가하고 감성적 상호작용이 비즈니스 목표에 어떤 영향을 미치는지 이해하는데 도움을 줍니다.

만족도분석

만족도를 분석하면, 소비자가 제품이나 서비스에 대해 얼마나 긍정적인 감정을 느끼는지 파악할 수 있습니다. 만족도가 높을수록, 소비자는 제품이나 서비스에 대해 긍정적인 감정을 느끼고, 제품이나 서비스의 사용을 즐기는 것으로 볼 수 있습니다.

충성도분석

충성도를 분석하면, 소비자가 제품이나 서비스에 대해 얼마나 강한 애착을 느끼는지 파악할 수 있습니다. 충성도가 높을수록, 소비자는 제품이나 서비스에 대해 강한 애착을 느끼고, 제품이나 서비스에 대한 재구매율이 높아질 가능성이 높습니다.

사용성분석

사용성을 분석하면, 제품이나 서비스의 사용 경험이 얼마나 편리하고 즐거운지 파악할 수 있습니다. 사용성이 높을수록, 소비자는 제품이나 서비스의 사용 경험이 편리하고 즐거운 것으로 인식됩니다. 이는 소비자에게 긍정적인 감정을 불러일으킬 수 있습니다.

감정분석

감정을 분석하면, 소비자가 제품이나 서비스에 대해 어떤 감정을 느끼는지 구체적으로 파악할 수 있습니다. 감정 분석 기술을 사용하면, 소비자의 감정을 정량적으로 측정할 수 있습니다.

이러한 지표들을 종합적으로 분석하면, UX의 감성적 효과를 정확하게 파악할 수 있습니다.

예를 들어, 다음과 같은 방법으로 UX의 감성적 효과를 분석할 수 있습니다.

• 설문조사: 소비자에게 제품이나 서비스에 대한 만족도, 충성도, 사용성, 감정을 묻는 설문조사를 실시합니다.

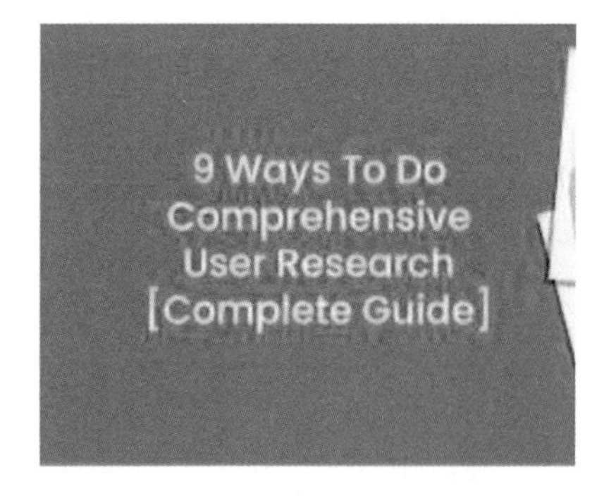

그림 3 설문조사를 통해 UX의 감성효과를 분석 (www.poptin.com)

• 인터뷰: 소비자와 직접 대화를 통해 제품이나 서비스에 대한 만족도, 충성도, 사용성, 감정을 파악합니다.

• 행동 분석: 소비자의 행동 데이터를 분석하여 제품이나 서비스에 대한 만족도, 충성도, 사용성, 감정을 파악합니다. 예를 들어, 소비자가 제품이나 서비스의 사용 빈도, 사용 시간, 사용 패턴 등을 분석할 수 있습니다.

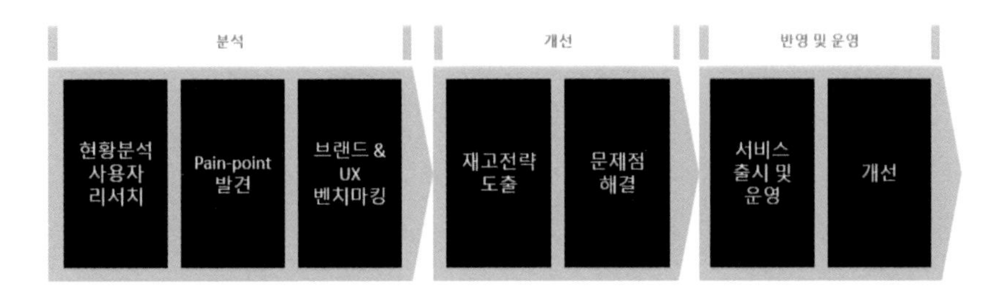

그림4 소비자 행동 분석을 통해 UX 감성적 효과를 분석

• 감성 분석: 소비자의 감정을 감지하는 기술을 사용하여 제품이나 서비스에 대한 만족도, 충성도, 사용성, 감정을 파악합니다. 예를 들어, 소비자의 표정, 음성, 키보드 입력 등을 분석할 수 있습니다.

이러한 방법들을 적절히 활용하여, UX의 감성적 효과를 정확하게 측정하고, 이를 바탕으로 제품이나 서비스의 UX를 개선할 수 있습니다.

UX의 감성적 효과 분석

감성적 효과를 정량적으로 평가하기 위해서는 다양한 데이터 소스와 도구를 활용하여 사용자 경험에 대한 통찰력을 얻어야 합니다.

1. 감성 분석 도구 활용: 텍스트 데이터에서 긍정, 부정, 중립적인 감정을 분석하는 도구를 활용합니다. 이를 통해 웹사이트 리뷰, 소셜 미디어 코멘트, 피드백 등에서 얻은 데이터를 분석하여 사용자의 감정을 추출할 수 있습니다.

2. 히트맵 및 클릭 분석: 웹사이트 또는 앱에서의 사용자 행동을 시각적으로 분석하는 도구를 활용합니다. 히트맵을 통해 어떤 부분이 사용자에게 감성적으로 더 중요한지, 어떤 요소가 눈에 띄게 반응을 일으키는지를 확인할 수 있습니다.

3. 사용자 피드백 마이닝: 사용자가 남긴 피드백을 자동으로 수집하고 분석하는 도구를 활용합니다. 이를 통해 대량의 피드백 데이터에서 감성적인 키워드를 추출하고 경향을 파악할 수 있습니다.

4. A/B 테스트: 다양한 디자인이나 콘텐츠를 테스트하여 사용자들의 감성적 반응을 비교합니다. 어떤 디자인이나 콘텐츠가 사용자에게 긍정적인 감정을 유발하는지 확인하여 최적의 경험을 찾아냅니다.

5. 신경망 기반 감정 분석: 최신 기술 중 하나로, 딥러닝을 기반으로 한 감정 분석 모델을 사용합니다. 이 모델은 텍스트, 이미지, 음성 등 다양한 형태의 데이터에서 사용자의 감정을 예측하고 분류할 수 있습니다.

이러한 도구와 기술을 종합적으로 활용하여 UX의 감성적 효과를 분석함으로써 어떤 디자인, 콘텐츠, 또는 기능이 사용자에게 긍정적인 감정을 전달하는지를 심층적으로 이해할 수 있습니다.

5장 비즈니스 변화를 위한 전략적 UX 케이스 스터디

5.1UX디자인이 변화시킨 비즈니스

5.1.1성공 사례와 실패 사례 비교

비즈니스에 대한 전략적인 UX 디자인은 다양한 산업과 기업에서 혁신과 성공을 이끌어냈습니다. 이를 살펴보기 위해 성공 사례와 실패 사례를 비교하고, 변화의 핵심 요소를 살펴보겠습니다.

[성공 사례]

• Apple의 iPhone: iPhone은 사용자 중심의 디자인과 혁신적인 기술을 결합하여 시장을 선도했습니다. 간편한 사용성과 탁월한 경험은 고객들에게 강력한 인상을 심어주었고, 이로 인해 시장에서 성공을 거두었습니다.

• Netflix의 개인화 추천 알고리즘: Netflix는 사용자의 시청 기록, 취향, 평가 등을 분석하여 맞춤형 콘텐츠를 추천하는 알고리즘을 통해 고객 만족도를 높이고, 이를 통해 구독자 수를 늘렸습니다.

[실패 사례]

• Microsoft의 Windows 8: Windows 8는 사용자들이 익숙한 인터페이스를 크게 변경하여 사용자 혼란을 초래했습니다. 이로 인해 제품의 실패와 함께 사용자들의 불만이 커지면서 시장에서의 입지를 잃었습니다.

• Google Glass: Google Glass는 혁신적인 아이디어에도 불구하고, 사용자들의 사생활 우려와 디자인의 미흡함으로 실패한 사례입니다.

최근의 UX 디자인 사례를 통해 비즈니스를 어떻게 변화시켰는지 살펴보겠습니다.

[성공 사례]

• Zoom의 급부상: COVID-19 팬데믹으로 원격 교육 및 업무가 확대되면서, Zoom은 직관적이고 간편한 사용성으로 인해 급격한 성장을 이루었습니다. 사용자 중심의 디자인과 신속한 대응은 비즈니스 모델을 새롭게 정립하고 시장에서 선두에 서게 했습니다.

• TikTok의 창의적인 사용자 경험: TikTok은 짧은 동영상과 창의적인 편집 기능을 통해 사용자들에게 색다른 경험을 제공합니다. 이로 인해 특히 젊은 세대를 중심으로 대세 앱으로 부상하며 비즈니스 모델을 혁신적으로 구축하였습니다.

[실패 사례]

• Google+의 폐쇄: Google+는 소셜 미디어 서비스로 출시되었지만, 사용자 중심의 부재와 다른 플랫폼들과 경쟁에서 밀려 실패하였습니다. 사용자들의 소셜 미디어 플랫폼에 대한 기대에 부합하지 못한 결과로 폐쇄되었습니다.

• Quibi의 단기간 폐업: Quibi는 짧은 형식의 독점 콘텐츠로 주목받았지만, 사용자들의 요구와 기대를 제대로 파악하지 못하고 출시된 점이 문제였습니다. 실패는 비즈니스 전략의 부재와 사용자 중심의 부족에서 비롯되었습니다.

최근의 사례를 통해 UX 디자인이 비즈니스에 어떻게 영향을 미치는지를 살펴본 결과, 사용자 중심의 디자인과 빠른 시장 대응, 혁신적인 기술의 도입이 성공과 실패를 결정하는 핵심 요소임을 확인할 수 있습니다.

5.1.2변화의 핵심요소

성공과 실패의 차이는 몇 가지 핵심 요소에 기인합니다. 첫째, 사용자 중심의 디자인이 있어야 합니다. 제품 또는 서비스가 사용자의 니즈와 기대에 부합하지 않으면 실패할 가능성이 높습니다. 둘째, 혁신적인 기술과 디자인이 결합되어야 합니다. 새로운 아이디어와 사용자 경험이 조화롭게 결합되면 비즈니스를 변화시킬 수 있습니다. 마지막으로, 지속적인 피드백과 개선이 필요합니다. 사용자의 피드백을 수집하고 제품이나 서비스를 지속적으로 개선함으로써 비즈니스는 변화에 적응할 수 있습니다.

전략적인 UX 디자인은 성공적인 변화의 핵심이며, 사용자 경험을 중심으로 한 비즈니스 전략 수립이 기업의 성과에 긍정적인 영향을 미칩니다.

5.2 성공적인 전략적 UX 디자인의 사례

5.2.1성공적인 디자인의 특징

성공적인 전략적 UX 디자인의 특징은 다음과 같습니다.

- 사용자 중심

성공적인 전략적 UX 디자인은 사용자의 요구와 니즈를 중심에 두고 디자인됩니다. 사용자의 사용 습관, 행동 패턴, 기대치를 파악하고 이를 반영한 디자인을 통해 사용자에게 최적의 경험을 제공합니다. 제품 또는 서비스의 디자인이 사용자의 요구에 부합하면서 직관적이고 편리한 경험을 제공합니다.

- 비즈니스 목표 달성

성공적인 전략적 UX 디자인은 비즈니스 목표 달성을 위한 수단으로 활용됩니다. 사용자의 행동을 유도하고, 매출 증대, 고객 만족도 향상 등 비즈니스 목표를 달성하기 위한 디자인을 구현합니다.

• 지속 가능성

성공적인 전략적 UX 디자인은 지속 가능한 디자인을 지향합니다. 사용자의 요구 변화에 유연하게 대응할 수 있고, 시대에 뒤떨어지지 않는 디자인을 구현합니다.

이를 좀 더 구체적으로 살펴보면, 다음과 같습니다.

1 사용자 중심의 디자인: 성공적인 전략적 UX 디자인은 사용자의 니즈와 경험을 핵심으로 삼습니다. 제품 또는 서비스의 디자인이 사용자의 요구에 부합하면서 직관적이고 편리한 경험을 제공합니다.

2. 혁신적 기술의 도입: 새로운 기술이나 디자인 트렌드를 적극적으로 도입하는 것이 특징입니다. 혁신적인 기술을 통해 사용자에게 새로운 경험을 제공하면서 시장에서 차별화를 이룰 수 있습니다.

3. 비즈니스 전략과의 통합: UX 디자인은 비즈니스 목표와 긴밀하게 연결되어 있습니다. 성공적인 전략적 UX 디자인은 비즈니스의 목표를 달성하는데 기여하며, 사용자 경험을 통해 비즈니스 ROI를 극대화합니다.

4. 데이터 기반 의사결정: 사용자 데이터를 철저히 분석하고 이를 기반으로 의사결정을 내리는 것이 특징입니다. 데이터 기반의 접근은 사용자 행동과 요구를 정확히 이해하고 서비스를 지속적으로 최적화하는데 도움을 줍니다.

5. 다각도의 협업과 의사소통: 성공적인 전략적 UX 디자인은 디자이너, 개발자, 비즈니스 전문가 등 다양한 분야의 전문가 간의 협업과 의사소통을 강조합니다. 다양한 관점에서의 통합된 팀 작업은 종합적이고 효과적인 결과를 만듭니다.

6. 지속적인 개선과 업데이트: 제품 또는 서비스의 출시 이후에도 지속적인 개선과 업데이트를 통해 사용자의 요구에 부응하며, 변화하는 시장에 끊임없이 대응합니다.

이러한 특징들은 성공적인 전략적 UX 디자인을 위한 핵심 원리를 제시하고 있습니다..

5.2.2전략적 UX 디자인의 핵심 성공 요인

성공적인 전략적 UX 디자인을 이루기 위한 핵심 요인은 다양한 측면에서 발견됩니다:

• 비즈니스 목표의 명확한 이해: 전략적 UX 디자인은 비즈니스 목표를 명확하게 이해하고, 이를 디자인에 통합하는 능력이 필수입니다. 비즈니스의 방향성을 이해하지 못한 디자인은 성공하기 어렵습니다.

• 종합적인 사용자 이해: 사용자에 대한 종합적이고 심층적인 이해가 성공의 핵심입니다. 이를 위해 사용자 연구, 피드백 수집, 행동 분석 등 다양한 방법을 활용합니다.

• 탄력적이고 혁신적인 디자인 프로세스: 변화하는 환경에 빠르

게 대응할 수 있는 디자인 프로세스가 중요합니다. 민첩한 개발과 실험적인 디자인은 혁신을 촉진하고 사용자 요구를 더 잘 반영할 수 있습니다.

- 다학제팀 협업: 디자이너, 개발자, 비즈니스 전문가 등 다양한 전문가들 간의 효과적인 협업이 요구됩니다. 각 분야의 전문가가 함께 작업하면 더 나은 결과물을 도출할 수 있습니다.

- 지속적인 평가와 개선: 제품 또는 서비스를 출시한 후에도 지속적인 평가와 개선을 통해 사용자 경험을 최적화합니다. 피드백 루프를 구축하여 지속적인 개선 사이클을 유지합니다.

- 정량적인 결과 평가와 KPI 설정: 성공을 정량적으로 측정하고 평가하는 능력이 필요합니다. 명확한 KPI(성과 지표)를 설정하고 이를 기반으로 결과를 측정하여 디자인의 효과를 분석합니다.

이러한 성공 요인들은 전략적 UX 디자인이 비즈니스에 실질적인 가치를 창출하는데 있어서 중요한 원칙들을 제공합니다.

5.3전략적 UX 디자인의 비즈니스 ROI 최적화

5.3.1ROI를 높이기 위한 전략적 접근

ROI는 Return on Investment의 약자로, 투자 수익률을 의미합니다. 투자한 비용 대비 얻을 수 있는 수익을 계산한 지표입니다. ROI는 다음과 같이 계산됩니다.

ROI = (수익 - 투자 비용) / 투자 비용

예를 들어, 어떤 기업이 100만원을 투자하여 200만원의 수익을 얻었다면, ROI는 다음과 같이 계산됩니다.

ROI = (200만원 - 100만원) / 100만원 = 2

즉, 이 기업은 100만원을 투자하여 2배의 수익을 얻은 것입니다.

UX 디자인을 통한 ROI 향상

UX 디자인은 사용자 경험을 개선하는 디자인입니다. 사용자 경험이 개선되면, 사용자의 만족도가 높아지고, 사용자의 행동을 유도할 수 있습니다. 이러한 효과는 ROI 향상으로 이어질 수 있습니다.

UX 디자인을 통한 ROI 향상을 위해서는 다음과 같은 방법을 고려할 수 있습니다.

- 사용자의 요구와 니즈를 파악하여 디자인을 개선합니다. 사용자의 요구와 니즈를 정확하게 파악하여 이를 충족시킬 수 있는 디자인을 구현하면, 사용자의 만족도가 높아지고, 사용 빈도가 증가할 수 있습니다.

- 사용자의 행동을 유도하는 디자인을 구현합니다. 사용자의 행동을 유도하는 디자인을 구현하면, 매출 증대, 고객 유지, 마케팅 효과 향상 등 다양한 비즈니스 목표를 달성할 수 있습니다.

• 지속 가능한 디자인을 구현합니다. 사용자의 요구 변화에 유연하게 대응할 수 있고, 시대에 뒤떨어지지 않는 디자인을 구현하면, 장기적인 ROI 향상을 기대할 수 있습니다.

전략적 UX 디자인이 비즈니스 ROI를 최적화하기 위해서는 몇 가지 핵심 접근 방법이 있습니다:

1. 사용자 중심의 비즈니스 목표 설정: 사용자의 니즈와 기업의 비즈니스 목표를 조화시켜 정의합니다. 이때 비즈니스 목표는 수익증대, 비용 감소, 고객 충성도 향상 등이 될 수 있습니다. 이처럼 사용자 만족도 향상과 동시에 비즈니스 성과를 달성하는 목표를 설정하는 것이어야 합니다.

2. UX 개선의 경제적 이점 분석: UX 개선이 어떻게 비즈니스에 이익을 주는지 경제적인 이점을 분석합니다. 이는 비용 절감, 수익 증대, 고객 유지 등으로 나타낼 수 있으며 결국 사용자 경험 개선의 경제적 효과를 추적하여 분석 합니다.

3. 비즈니스 목표에 맞는 KPI 설정: 성공적인 UX 디자인을 위해 비즈니스 목표에 맞는 Key Performance Indicators (KPIs)를 설정합니다. 이는 구체적이고 측정 가능한 목표를 제시하여 성과를 추적할 수 있도록 돕습니다. 예를 들어, 수익 증대를 목표로 한다면 매출 증가율, 고객 확보 비용(CAC), 고객 유지율 등을 고려할 수 있습니다.

4. 유연한 디자인 시스템 도입: 유연하고 확장 가능한 디자인

시스템을 도입하여 새로운 요구에 빠르게 대응할 수 있습니다. 이는 비용 절감과 민첩성을 향상시키는 데 도움이 됩니다.

5. 사용자 피드백을 통한 지속적인 개선: 사용자 피드백을 수집하고 분석하여 제품이나 서비스를 지속적으로 개선합니다. 이는 고객 만족도를 높이고 충성도를 향상시키는 데 기여합니다. 필요한 경우 디자인을 수정하거나 개선하여 지속적으로 비즈니스 ROI를 향상시킵니다.

6. UX와 비즈니스 전략 통합: UX 디자인을 비즈니스 전략에 통합하여 이를 통해 창출되는 가치를 최대화합니다. UX는 비즈니스의 일부로서 기여해야 하며 전략과 긴밀하게 연결돼야 하는데 전략적 UX 디자인에 투자된 비용을 명확히 파악하고, 이를 비즈니스 성과와 연결하여 투자 대비 디자인의 효과를 정량화합니다.

7. 최신 기술 및 트렌드 활용: 최신 기술과 트렌드를 적극적으로 활용하여 사용자 경험을 혁신적으로 개선하고, 이를 통해 시장에서 경쟁 우위를 확보합니다. 데이터 분석 도구와 통계적 방법을 활용하여 UX 디자인의 효과를 정량적으로 측정하고, 이를 토대로 비즈니스 ROI를 계산합니다.

이러한 전략적 접근은 사용자 경험을 개선하면서 동시에 비즈니스 ROI를 향상시키는 데 기여합니다. 강력한 UX는 고객 충성도를 높이고 비즈니스 성과를 향상시킬 수 있는 중요한 자산으로 작용합니다.

5.3.2효과적인 비즈니스 ROI 분석

비즈니스 ROI 분석은 투자한 자원과 얻은 결과 간의 관계를 측정하고 해석하는 과정으로, 전략적 UX 디자인의 성과를 정량화하는 데 중요합니다.

• ROI를 정의하라:

명확하게 정의된 목표와 성과 지표를 기반으로 ROI를 설정합니다.

예를 들어, 매출 증대, 이용자 유입 확대, 이탈률 감소 등이 목표가 될 수 있습니다.

• 투자 비용을 정확하게 측정하라:

UX 디자인에 투자된 모든 비용을 포함하여 정확한 투자 비용을 측정합니다.

디자이너, 개발자, 소프트웨어 구매, 마케팅 등 모든 비용을 고려합니다.

• 성과 지표를 설정하라:

ROI를 측정할 성과 지표를 선택하고 정의합니다.

사용자 행동, 매출, 이탈률, 고객 만족도 등이 성과 지표가 될 수 있습니다.

• 사용자 연구와 테스트를 수행하라:

UX 디자인의 성과를 측정하기 위해 사용자 연구와 테스트를 수행합니다.

사용자 피드백, 행동 분석, 성과 지표 등을 고려하여 디자인의 효과를 정량화합니다.

• ROI를 계산하라:

ROI는 (효과 - 투자) / 투자로 계산됩니다.

계산된 값을 통해 투자에 대한 수익 또는 손실을 확인할 수 있습니다.

• 비즈니스 영향을 분석하라:

계산된 ROI를 통해 어떠한 비즈니스 영향을 가져왔는지를 분석합니다.

성공 사례의 경우 어떤 디자인 요소가 효과적이었는지를 학습하고, 실패 사례의 경우 원인을 파악합니다.

• 개선과 측정을 반복하라:

UX 디자인은 지속적인 프로세스이므로 효과적인 ROI 분석은 지속적인 개선과 함께 이루어져야 합니다.

효과적인 비즈니스 ROI를 유지하고 향상시키기 위해 지속적으로 성과 지표를 업데이트하고 개선해야 합니다.

효과적인 비즈니스 ROI 분석은 기업이 전략적 UX 디자인을 더욱 효과적으로 활용하고 비즈니스 성과를 최적화하는 데 도움을 줍니다.

효과적인 비즈니스 ROI 분석의 중요성

효과적인 비즈니스 ROI 분석은 다음과 같은 중요성을 가지고 있습니다.

- 비즈니스 성과 개선

ROI 분석을 통해 비즈니스 성과에 영향을 미치는 요인을 파악하고, 이를 개선하기 위한 기회를 발견할 수 있습니다. 이를 통해 비즈니스 성과를 개선하고, ROI를 향상시킬 수 있습니다.

- 투자 의사 결정 지원

ROI 분석을 통해 새로운 투자의 효율성을 평가할 수 있습니다. 이를 통해 투자의 효과를 예측하고, 의사 결정을 지원할 수 있습니다.

- 비즈니스 경쟁력 강화

ROI 분석을 통해 경쟁사 대비 비즈니스 경쟁력을 평가할 수 있습니다. 이를 통해 경쟁력을 강화하고, 시장에서 우위를 점할 수 있습니다.

효과적인 비즈니스 ROI 분석을 통해 비즈니스 성과를 개선하고, ROI를 향상시켜, 비즈니스 경쟁력을 강화할 수 있습니다.

효과적인 비즈니스 ROI 분석을 위한 팁

- 데이터 수집 시, 데이터의 신뢰성과 정확성에 주의를 기울입니다.

- 데이터 분석 시, 다양한 관점에서 분석하여, 비즈니스 성과에 영향을 미치는 요인을 종합적으로 파악합니다.

- 개선안 도출 시, 사용자 중심 사고를 바탕으로, 비즈니스 목표와 연계된 개선안을 도출합니다.

- 개선안 실행 후에는 지속적으로 효과를 모니터링하여, 필요에 따라 개선안을 조정합니다.

효과적인 비즈니스 ROI 분석을 통해, 비즈니스 성과를 개선하고, ROI를 향상시킬 수 있습니다.

6장 UX 변화와 혁신의 미래

6.1UX디자인의 미래

6.1.1기술의 발전과 UX디자인

기술의 발전과 UX 디자인은 밀접한 관계가 있습니다. 기술의 발전은 새로운 UX 디자인의 가능성을 열어주고, UX 디자인은 기술의 발전을 가속화합니다.

기술의 발전이 UX 디자인에 미치는 영향

기술의 발전은 다음과 같은 측면에서 UX 디자인에 영향을 미칩니다.

- 새로운 기능과 경험의 창출

기술의 발전은 새로운 기능과 경험을 창출할 수 있는 기반을 제공합니다. 예를 들어, 증강현실(AR)과 가상현실(VR) 기술의 발전은 사용자에게 몰입감 있는 경험을 제공할 수 있는 새로운 UX 디자인의 가능성을 열어줍니다.

- 사용자 요구의 변화

기술의 발전은 사용자의 요구를 변화시킬 수 있습니다. 예를 들어, 모바일 기기의 보급은 사용자들이 언제 어디서나 정보를 접하고, 서비스를 이용할 수 있는 요구를 증가시켰습니다. 이를 충족하기 위해 UX 디자이너들은 모바일 환경에 최적화된 디자인을 개발해야 합니다.

- UX 디자인의 자동화

기술의 발전은 UX 디자인의 자동화를 가속화할 수 있습니다. 예를 들어, 머신러닝과 인공지능(AI) 기술을 활용하면 사용자의 행동을 분석하고, 이에 맞는 디자인을 자동으로 생성할 수 있습니다.

UX 디자인이 기술의 발전에 미치는 영향

UX 디자인은 기술의 발전을 가속화하는 역할을 합니다. UX 디자이너들은 사용자의 요구를 이해하고, 이를 충족할 수 있는 디자인을 개발하기 위해 기술을 활용합니다. 이를 통해 새로운 기술의 개발을 촉진하고, 기술의 발전 속도를 높이는 데 기여합니다.

예를 들어, UX 디자이너들은 사용자의 편의성을 높이기 위해 새로운 기술을 도입합니다. 예를 들어, 음성 인식 기술을 활용하여 사용자가 음성으로 기기를 조작할 수 있도록 하는 디자인을 개발할 수 있습니다. 이러한 노력은 음성 인식 기술의 발전을 가속화하고, 음성 인식 기술이 더 많은 제품과 서비스에 적용되는 데 기여합니다.

UX의 미래

기술의 발전은 UX 디자인의 미래에 큰 영향을 미칠 것입니다. 기술의 발전은 새로운 UX 디자인의 가능성을 열어주고, UX 디자인은 기술의 발전을 가속화할 것입니다. 이러한 관계는 앞으로도 지속될 것으로 예상됩니다.

특히, 다음과 같은 기술의 발전이 UX 디자인에 큰 영향을 미칠 것으로 예상됩니다.

- 인공지능(AI)

AI는 사용자의 요구를 이해하고, 이를 충족할 수 있는 디자인을 자동으로 생성할 수 있습니다. 이를 통해 UX 디자인의 자동화를 가속화하고, UX 디자인의 효율성을 높일 것으로 예상됩니다.

- 증강현실(AR)

AR은 사용자에게 현실 세계에 가상의 정보를 겹쳐서 보여주는 기술입니다. 이를 통해 사용자에게 몰입감 있는 경험을 제공할 수 있습니다. UX 디자이너들은 AR 기술을 활용하여 새로운 사용자 경험을 창출할 것입니다.

- 가상현실(VR)

VR은 사용자를 완전히 가상의 세계로 몰입시키는 기술입니다. 이를 통해 사용자에게 새로운 세계를 경험할 수 있는 기회를 제공합니다. UX 디자이너들은 VR 기술을 활용하여 새로운 콘텐츠와 서비스를 개발할 것입니다.

기술의 발전과 함께 UX 디자인은 더욱 진화하고, 사용자에게 새로운 경험을 제공할 것입니다.

기술의 지속적인 발전은 UX 디자인에 혁신적인 변화를 가져올 것으로 예상됩니다. 다양한 기술 동향이 UX 디자인에 어떤 영향을 미치고 있을지 살펴봅시다.

1. 인공 지능과 머신 러닝의 활용:
AI와 머신 러닝 기술은 사용자의 행동 및 선호도를 더 정확하게 파악할 수 있게 해줍니다. 예측 분석을 통해 개인 맞춤형 경험을 제공하는 UX 디자인이 강조될 것입니다.

2. 증강 현실과 가상 현실의 융합:
AR 및 VR 기술은 현실 세계와 가상 세계를 통합하는 데 사용될 것입니다. 이를 통해 현실적이면서도 풍부한 사용자 경험이 가능해지며, 이에 따른 UX 디자인의 다양성이 증가할 것으로 예상됩니다.

3. 응용 프로그램 간 통합과 협업:
다양한 응용 프로그램 간의 원활한 통합과 협업은 사용자가 서로 다른 플랫폼 및 서비스 간에 심리적 이동성을 느낄 수 있게 합니다. 이는 UX 디자이너에게 다양한 환경에서 일관된 경험을 제공하는 도전을 던집니다.

4. 생체 인식 기술의 발전:
생체 인식 기술, 특히 얼굴 인식 및 음성 인식 기술은 보안과 편

의성을 높이는 데 사용될 것입니다. 이러한 기술을 통한 UX 디자인은 사용자 중심의 편리하고 안전한 환경을 조성할 것입니다.

5. 노인 및 장애인을 위한 접근성 강화:
기술의 발전은 노인 및 장애인을 위한 UX 디자인에서도 혁신을 가져올 것입니다. 특히 음성 인식, 화면 낭독 등의 기술을 적극적으로 활용하여 보다 포괄적이고 접근성이 뛰어난 경험을 디자인할 것입니다.

6. 데이터 개인정보 보호 강화:
급격한 기술 발전에 따라 개인정보 보호가 더욱 중요해지고 있습니다. UX 디자인은 사용자의 프라이버시를 보호하면서도 맞춤형 경험을 제공하는 방안을 찾아야 합니다.

기술의 발전은 UX 디자인에 새로운 도전과 기회를 제공하고, 사용자 중심의 혁신적인 경험을 창출하는데 큰 영향을 미칠 것으로 예상됩니다.

6.1.2인공지능과의 상호작용

UX 디자인은 사용자의 경험을 설계하는 분야입니다. 따라서 사람들이 인공지능을 많이 접하게되는 미래 시점에서는 UX 디자인이 인공지능과 다양한 형태로 상호작용 할 것으로 예상됩니다. 인공지능은 UX 디자인의 효율성과 효과성을 높이고, 사용자에게 더욱 몰입감 있고, 감성적인 경험을 제공할 것으로 기대됩니다.

인공지능과 UX 디자인의 상호작용은 다음과 같은 부분에서 이루어질 수 있습니다.

- 사용자 연구 및 분석

사용자 행동 분석을 위한 인공지능

인공지능은 사용자의 행동을 분석하고, 이를 바탕으로 사용자의 요구를 이해하고, 이를 충족할 수 있는 디자인을 개발하는 데 활용될 수 있습니다. 예를 들어, 인공지능은 사용자의 사용 패턴, 선호도, 관심사 등을 분석하여, 사용자에게 최적화된 디자인을 개발하는 데 활용될 수 있습니다.

- 디자인 자동화

디자인 자동화를 위한 인공지능

인공지능은 디자인 프로세스를 자동화하여, UX 디자이너의 효율성을 높일 수 있습니다. 예를 들어, 인공지능은 디자인 규칙을 기반으로 디자인을 자동으로 생성하거나, 디자인 요소를 최적화하는 데 활용될 수 있습니다.

- 사용자 경험 향상

사용자 경험 향상을 위한 인공지능

인공지능은 사용자와 자연스럽게 소통하고, 사용자의 행동을 도와줌으로써 사용자 경험을 향상시킬 수 있습니다. 예를 들어, 인공지능은 음성 인식, 자연어 처리 등의 기술을 활용하여 사용자의 음성이나 문장을 이해하고, 이에 맞는 응답을 제공할 수 있습니다. 또한, 인공지능은 사용자의 행동을 예측하고, 이를 바탕으로 사용자의 편의를 도울 수 있습니다.

- 신제품 및 서비스 개발

신제품 및 서비스 개발을 위한 인공지능

인공지능은 새로운 제품 및 서비스의 개발을 촉진하고, 사용자에게 새로운 경험을 제공할 수 있습니다. 예를 들어, 인공지능은 사용자의 요구를 분석하고, 이를 바탕으로 새로운 제품 및 서비스의 아이디어를 도출할 수 있습니다. 또한, 인공지능은 새로운 제품 및 서비스의 사용성을 테스트하고, 이를 개선할 수 있습니다.

인공지능과 UX 디자인의 상호작용은 UX 디자인의 미래를 더욱 밝게 만들 것입니다. 인공지능은 UX 디자인의 효율성과 효과성을 높이고, 사용자에게 더욱 몰입감 있고, 감성적인 경험을 제공할 것으로 기대됩니다.

UX디자인과 인공지능사이에 상호작용하는 예시를 살펴보면 다음과 같습니다.

1. 맞춤형 개인 경험:

인공지능은 사용자의 행동과 선호도를 학습하고 분석하여 맞춤형 개인 경험을 제공할 수 있습니다. 사용자의 취향에 따라 콘텐츠, 서비스, 인터페이스 등이 자동으로 최적화되어 사용자에게 특화된 경험을 제공할 수 있습니다.

2. 자동화된 디자인 프로세스:
인공지능은 디자이너를 보조하거나 일부 디자인 과정을 자동화할 수 있습니다. 예를 들어, 레이아웃 제안, 컬러 조합 추천, 피드백 분석 등의 작업을 자동으로 수행하여 디자이너가 보다 창의적이고 전략적인 작업에 집중할 수 있도록 돕습니다.

3. 자연어 처리 및 음성 인식:
자연어 처리 및 음성 인식 기술은 사용자와의 자연스러운 소통을 통해 인터페이스를 조작하는 데 사용될 것입니다. 음성 명령을 통해 시스템 조작 또는 질문에 대한 응답을 받는 등, 사용자 중심의 직관적이고 효율적인 상호작용이 강조될 것입니다.

4. 감정 분석 및 피드백:
인공지능은 사용자의 감정을 분석하고 인지할 수 있습니다. 이를 통해 UX 디자인은 사용자의 감정에 따라 동적으로 변화하거나 상황에 맞게 적절한 피드백을 제공할 수 있습니다. 감정에 민감한 UX는 사용자와의 강화된 연결성을 도모할 것입니다.

5. 컨텍스트 인식과 예측:
인공지능은 사용자의 환경과 상황을 실시간으로 파악하고 예측할 수 있습니다. 이를 활용하여 UX는 미리 예상된 사용자의 Bedeation에 따라 유동적으로 조절되어 더 효과적인 경험을 제공할 수 있습니다.

6. 사용자 지원과 학습:
인공지능은 사용자에게 학습 자료, 튜토리얼, 개인화된 도움말을 제공함으로써 사용자 학습을 촉진합니다. 사용자의 습득 속도에 따라 적절한 지원을 제공하여 사용자의 효율성을 향상시킬 수 있습니다.

인공지능과 UX 디자인은 상호 보완적인 관계에서 협력하여 사용자에게 높은 품질의 경험을 제공할 것으로 기대됩니다.

6.1.3AR/VR의 미래

AR/VR의 미래는 매우 밝습니다. 기술이 발전함에 따라 AR/VR은 우리의 일상 생활에서 점점 더 중요한 역할을 할 것입니다. AR/VR을 통해 우리는 현실 세계에 가상의 정보를 겹쳐서 보여주거나, 완전히 가상의 세계로 몰입할 수 있습니다. 이는 우리에게 새로운 경험과 기회를 제공할 것입니다.

AR/VR의 미래에 UX 디자인 전략을 가져가기 위해서는 다음과 같은 사항을 고려해야 합니다.

• 몰입감 있는 경험을 제공하라. AR/VR은 사용자에게 몰입감 있는 경험을 제공할 수 있는 잠재력이 있습니다. UX 디자이너는 이러한 잠재력을 최대한 활용하여 사용자에게 현실 세계와 가상 세계가 어우러진 새로운 경험을 제공해야 합니다.

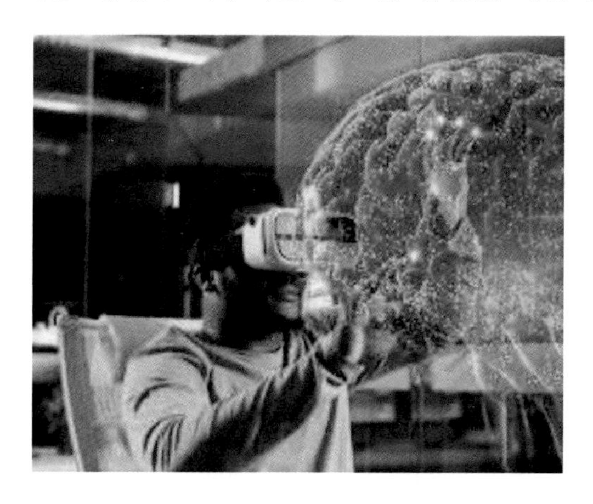

그림5 출처 www.epnc.co.kr

• 자연스러운 사용자 경험을 제공하라. AR/VR은 아직 초기 단계에 있기 때문에, 사용자 경험이 자연스럽지 않은 경우가 많습니다. UX 디자이너는 사용자 경험을 자연스럽게 만들기 위해 노력해야 합니다. 이를 위해서는 사용자의 행동을 잘 이해하고, 사용자 친화적인 디자인을 개발하는 것이 중요합니다.

• 사용자의 요구를 충족하라. AR/VR은 다양한 목적으로 사용될 수 있습니다. UX 디자이너는 사용자의 요구를 잘 이해하고, 이를 충족할 수 있는 디자인을 개발해야 합니다. 이를 위해서는 사용자 연구 및 분석을 통해 사용자의 요구를 파악하는 것이 중요합니다.

AR/VR의 미래는 UX 디자이너에게 새로운 기회와 도전이 될 것입니다. UX 디자이너는 이러한 변화에 대비하여 새로운 기술과 트렌드를 익히고, 사용자 중심의 디자인을 개발하는 노력을 기울여야 합니다.

AR/VR의 미래에 대한 UX 디자인 전략

1. 현실과 가상의 유기적 통합: AR/VR의 미래는 현실과 가상을 자연스럽게 융합시키는 방향으로 나아갑니다. 사용자가 가상 공간에서 실제 객체와 상호작용하거나 실제 공간에 가상 객체를 통합하는 경험이 풍부해질 것입니다. UX 디자인은 이러한 통합을 기반으로 현실과 가상 간의 경계를 흐려 사용자에게 더 풍부하고 일관된 경험을 제공해야 합니다.

2. 자연스러운 상호작용과 제스처 기술: AR/VR에서는 사용자의 몸짓이나 제스처가 중요한 역할을 할 것입니다. UX 디자인은 자연스러운 상호작용을 위해 고급 제스처 인식 기술과 사용자의 의도를 정확히 파악하는 방법을 통합해야 합니다. 이를 통해 사용자는 더 편리하게 디바이스와 상호작용할 수 있습니다.

3. 개인화된 경험 제공: AR/VR은 사용자에게 맞춤형 콘텐츠를 제공하는 데 큰 장점을 가지고 있습니다. UX 디자인은 사용자의 선호도, 습관, 위치 등을 기반으로 한 개인화된 경험을 제공함으로써 사용자의 만족도를 높여야 합니다.

4. 실시간 협업과 소셜 경험 강화: AR/VR은 현실과 가상에서의 실시간 협업과 소셜 경험을 더욱 강화할 것입니다. 사용자들은 가상 공간에서 협업하고 소셜 활동을 즐길 것이므로 UX 디자인은 협업 도구 및 소셜 기능을 통합해 이를 지원해야 합니다.

5. 쾌적한 환경과 운동 편의성 강조: 장시간의 가상현실 환경에서의 사용을 고려할 때, 사용자의 편의성 및 건강을 강조하는 UX 디자인이 중요합니다. 특히, 이동이 필요한 VR 환경에서는 사용자의 운동 편의성을 고려하여 쾌적하고 안전한 경험을 제공해야 합니다.

6. 5G와의 연동 및 저지연 환경: 5G 기술의 보급으로 더 높은 속도와 낮은 지연을 통해 더욱 현실감 있는 AR/VR 경험이 가능해질 것입니다. UX 디자인은 이러한 환경에서의 최적화된 콘텐츠 제공과 빠른 데이터 송수신에 중점을 두어야 합니다.

7. 환경 인지 및 공간 지능: AR/VR은 환경을 인식하고 사용자의 주변 공간을 지능적으로 활용할 수 있습니다. UX 디자인은 사용자의 위치, 주변 객체 및 환경 정보를 고려하여 개선된 상호작용과 콘텐츠 전달을 위한 전략을 수립해야 합니다.

이러한 UX 디자인 전략을 통해 AR/VR은 사용자에게 더욱 혁신적이고 풍부한 경험을 제공할 수 있을 것으로 전망됩니다.

6.2지속적인 비즈니스 혁신을 위한 UX디자인

6.2.1변화에 대응하는 UX전략수립

오늘날의 세계는 빠르게 변화하고 있습니다. 이러한 변화는 기술 뿐만 아니라 사회, 문화 등 다양한 요인들이 변화를 가져오고 있으며, 이러한 변화는 우리 삶의 모든 영역에 영향을 미치고 있습니다.

UX 디자인도 이러한 변화에 영향을 받을 수밖에 없습니다. 사용자의 요구와 기대는 변화하며, 새로운 기술과 트렌드가 등장함에 따라 UX 디자인의 방향도 변화해야 합니다.

따라서, UX 디자이너는 변화에 대응할 수 있는 UX 전략을 수립해야 합니다. 변화에 대응하는 UX 전략 수립을 위해서는 다음과 같은 사항을 고려해야 합니다.

1. 변화의 요인을 파악하라.

변화에 대응하기 위해서는 변화의 요인을 파악하는 것이 중요합니다. 변화의 요인은 기술, 사회, 문화 등 다양한 분야에서 발생할 수 있습니다.

기술 분야에서는 인공지능, 증강현실, 가상현실 등의 기술 발전이 UX 디자인에 큰 영향을 미칠 것으로 예상됩니다. 사회 분야에서는 고령화, 다문화화, 양극화 등의 사회 변화가 UX 디자인에 영향을 미칠 수 있습니다. 문화 분야에서는 소비 트렌드, 가치관의 변화 등이 UX 디자인에 영향을 미칠 수 있습니다.

2. 사용자의 요구와 기대를 이해하라.

변화에 대응하기 위해서는 사용자의 요구와 기대를 이해하는 것도 중요합니다. 사용자의 요구와 기대는 변화에 따라 변화할 수 있습니다.

예를 들어, 고령화 사회에서는 사용자의 시력, 청력, 손의 기능 등에 대한 고려가 필요합니다. 다문화 사회에서는 다양한 문화적 배경을 가진 사용자를 고려한 디자인이 필요합니다.

3. 새로운 기술과 트렌드를 익히라.

변화에 대응하기 위해서는 새로운 기술과 트렌드를 익히는 것도 중요합니다. 새로운 기술과 트렌드를 이해하고, 이를 UX 디자인에 적용할 수 있어야 합니다.

예를 들어, 인공지능 기술을 활용하여 사용자의 요구를 보다 정확하게 파악하고, 이를 충족할 수 있는 디자인을 개발할 수 있습니다. 증강현실 기술을 활용하여 사용자에게 몰입감 있는 경험을 제공할 수 있습니다.

4. 유연한 사고를 하라.

변화에 대응하기 위해서는 유연한 사고를 하는 것도 중요합니다. 변화는 예측하기 어렵기 때문에, 변화에 유연하게 대응할 수 있는 사고가 필요합니다.

예를 들어, 예상하지 못한 변화가 발생하더라도 이를 신속하게 수용하고, 대응할 수 있어야 합니다.

변화에 대응하는 UX 전략 수립을 위해서는 이러한 사항들을 고려하여, 변화에 유연하게 대응할 수 있는 전략을 수립해야 합니다. 이를 통해, 변화에 따른 기회를 포착하고, 사용자에게 최상의 경험을 제공할 수 있을 것입니다.

변화에 대응하는 UX 전략 수립을 위한 구체적인 방법

변화에 대응하는 UX 전략 수립을 위한 구체적인 방법은 다음과 같습니다.

• 변화 트렌드 모니터링

변화 트렌드를 모니터링하여, 변화의 요인과 방향을 파악합니다. 이를 통해, 변화에 대응하기 위한 전략을 수립하는 데 필요한 정보를 얻을 수 있습니다.

• 사용자 연구

사용자 연구를 통해, 사용자의 요구와 기대를 파악합니다. 이를 통해, 변화에 따른 사용자의 요구와 기대를 이해하고, 이에 대응하기 위한 전략을 수립할 수 있습니다.

- 전문가 컨설팅

변화에 대한 전문 지식을 갖춘 전문가의 컨설팅을 통해, 변화에 대응하기 위한 전략을 수립하는 데 도움을 받을 수 있습니다.

- 실험과 테스트

새로운 기술과 트렌드를 적용한 디자인을 실험하고 테스트하여, 효과를 검증합니다. 이를 통해, 변화에 대응하기 위한 전략의 효과를 확인하고, 이를 개선할 수 있습니다.

변화에 대응하는 UX 전략 수립은 지속적인 노력이 필요합니다. 변화는 계속해서 발생하기 때문에, 변화에 대응하기 위한 전략도 지속적으로 업데이트해야 합니다.

구체적인 방법은 기존 UX 방법론을 가지고 살펴볼 수 있습니다. 즉 변화에 대응하는데도 UX의 다양한 방법론들이 활용될 수 있음을 보여준다고 할 수 있습니다

지속적인 비즈니스 혁신을 위한 효과적인 UX전략 수립은 다양한 단계와 프로세스를 포함하며 다음과 같이 요약할 수 있습니다.

1	인사이트 수집 단계: - 고객조사 및 사용자 인터뷰: 현재 제품 또는 서비스를 사용하는 사용자의 의견과 요구사항을 직접 수집하고, 인터뷰를 통해 심층적인 피드백을 얻습니다. - 행동 데이터 분석: 사용자의 행동 패턴과 데이터를 분석하여 현재 UX의 강점과 약점을 파악합니다. - 경쟁사 분석: 경쟁사의 UX 전략과 성과를 비교하여 시장 동향을 이해하고 경쟁 우위를 확보합니다.

2	도출 및 정의 단계: - 문제 정의와 기회 도출: 수집된 정보를 기반으로 사용자 경험에서 발생하는 문제를 정의하고, 혁신적인 기회를 도출합니다. - 우선순위 설정: 도출된 문제와 기회를 중요도에 따라 우선순위를 정하고 집중할 영역을 결정합니다.

3	아이디어 발산 단계: - 브레인스토밍 세션: 다양한 팀원들과 함께 브레인스토밍을 통해 혁신적인 아이디어를 도출하고, 사용자 중심의 솔루션을 찾습니다. - 시각화와 프로토타이핑: 아이디어를 시각적으로 표현하고 프로토타입을 만들어, 추상적인 개념을 구체적인 디자인으로 발전시킵니다.

4	검증 및 테스트 단계: - 사용자 피드백 수집: 프로토타입을 사용자에게 테스트하고 피드백을 수집하여 디자인을 개선합니다. - A/B 테스트: 혁신적인 변화를 시행하기 전에 A/B 테스트를 통해 새로운 디자인과 기존 디자인을 비교하여 효과를 검증합니다.

5	구현 단계: - 점진적인 배포: 대규모 변경이 아닌 작은 변화를 점진적으로 적용하고, 사용자들의 반응을 모니터링하며 필요에 따라 조정합니다. - 반복적인 개선: 지속적으로 사용자 피드백과 데이터를 분석하여 디자인을 개선하고, 새로운 아이디어를 시도하여 지속적인 혁신을 유지합니다.

6	효과 측정과 최적화 단계: - 비즈니스 ROI 측정: 변경사항이 비즈니스에 미치는 영향을 측정하고 비즈니스 ROI를 분석합니다. - 사용자 만족도 평가: 사용자의 만족도를 지속적으로 측정하고, UX 개선이 사용자 경험에 미치는 영향을 평가합니다. - 학습과 적응: 수집된 데이터를 통해 학습하고, 새로운 도전에 대한 적응력을 키워 미래의 변화에 대응합니다.

이러한 프로세스를 통해 UX 디자인은 지속적인 혁신을 통해 비즈니스에 가치를 제공하고, 변화에 대응하며 성공적인 전략을 수립할 수 있습니다.

6.2.2기술발전과의 조화

기술의 비중이 더욱 크게 반영되는 현재, 그리고 미래사회에서 비즈니스 혁신을 위한 전력적 UX를 위해서는 기술의 발전과 조화를 이루는 것이 중요합니다.

지속적인 비즈니스 혁신을 위해 UX 디자인이 기술의 발전과 함께 조화를 이루려면 몇 가지 핵심 원칙을 고려해야 합니다:

1. 기술 동향 파악:

• 기술의 발전을 지속적으로 모니터링하고, 신기술이나 트렌드가 미치는 영향을 파악합니다. 새로운 기술 동향에 대한 지속적인 연구를 통해 변화에 민감하게 대응할 수 있습니다.

2. 유연한 디자인 방법론 채택:

• Agile 또는 디자인 씽킹과 같은 유연한 디자인 방법론을 도입하여 빠르게 변화하는 환경에 대응합니다. 이는 실험, 프로토타이핑, 사용자 피드백 반영 등을 가능케 합니다.

3. 다학제적 협업 강화:

• 디자이너, 개발자, 비즈니스 전략가 등 각 분야의 전문가들

간의 협업을 강화합니다. 다양한 전문성을 존중하면서도 유기적으로 협업함으로써 최적의 솔루션을 찾을 수 있습니다.

4. 사용자 중심 접근 강조:

• 사용자의 니즈와 행동을 중시하고, 기술의 발전이 사용자 경험을 어떻게 개선할 수 있는지를 고려합니다. 기술은 사용자에게 어떤 가치를 제공하는가가 핵심이 됩니다.

5. 빠른 실험과 반복:

• 새로운 기술이나 디자인 아이디어를 빠르게 실험하고, 실패에 대한 허용 문화를 유도합니다. 빠른 실험을 통해 효과적인 솔루션을 신속하게 찾을 수 있습니다.

6. 지속적인 학습과 개발:

• 팀 내 구성원들에 대한 꾸준한 교육과 기술 업데이트를 촉진합니다. 새로운 기술과 도구를 습득하고 향상된 방법을 통해 지속적인 역량 향상을 도모합니다.

7. 비즈니스 목표와의 일치:

• UX 디자인의 변화는 비즈니스 목표와 일치해야 합니다. 새로운 기술이나 디자인은 비즈니스 성과에 기여할 수 있도록 계획되고 실행되어야 합니다.

8. 윤리적 고려:

• 기술의 발전이 미치는 영향에 대해 윤리적인 고려를 강조합니다. 사용자의 개인정보 보호와 관련된 윤리적인 디자인 원칙을 준수합니다.

이러한 원칙을 따르면서 UX 디자인은 기술의 발전과 함께 조화를 이루어 지속적인 비즈니스 혁신을 이끌어낼 수 있습니다.

6.3전략적 UX리더십과 미래 비즈니스에 대한 전망

6.3.1UX전문가의 리더십 역할

UX 전략이 중요해지는 이유

오늘날 UX는 단순히 제품이나 서비스의 디자인을 넘어, 비즈니스 전략의 중요한 요소로 자리 잡고 있습니다. 이는 다음과 같은 이유 때문입니다.

• 기술의 발전: 인공지능, 증강현실, 가상현실 등의 기술 발전은 사용자 경험의 새로운 가능성을 열어주고 있습니다. 이러한 기술을 효과적으로 활용하기 위해서는 UX 전략이 필요합니다.

• 사용자의 요구 변화: 사용자의 요구는 기술의 발전과 사회의 변화에 따라 지속적으로 변화하고 있습니다. 사용자의 요구를 파악하고, 이를 충족하기 위해서는 UX 전략이 필요합니다.

• 비즈니스 경쟁 심화: 비즈니스 경쟁이 심화되면서, 사용자 경험을 통해 차별화된 경쟁력을 확보하려는 노력이 증가하고 있습니다. 이를 위해서는 UX 전략이 필요합니다.

UX 전문가의 역할

UX 전문가는 사용자 경험을 개선하고, 비즈니스 성과를 향상시키기 위해 다음과 같은 역할을 수행합니다.

• 사용자 요구 파악: 사용자의 요구를 파악하고, 이를 바탕으로 사용자 경험을 개선하기 위한 방안을 제시합니다.

• UX 디자인: 사용자 요구를 충족하는 UX 디자인을 개발합니다.

• UX 평가: 개발된 UX 디자인의 효과를 평가합니다.

UX 전문가는 이러한 역할을 수행하기 위해서는 다음과 같은 역량을 갖추어야 합니다.

• 사용자 중심 사고: 사용자의 요구와 기대를 파악하고, 이를 충족하기 위한 디자인을 개발하는 능력이 필요합니다.

• 기술 이해: UX 디자인에 적용할 수 있는 기술을 이해하고, 이를 활용할 수 있는 능력이 필요합니다.

• 비즈니스 이해: 비즈니스 목표를 달성하기 위한 UX 디자인을 개발할 수 있는 능력이 필요합니다.

UX 리더십의 역할

UX 리더는 UX 전략을 수립하고, 이를 실행하기 위해 다음과 같은 역할을 수행합니다.

- UX 전략 수립: UX 전문가, 비즈니스 리더 등 이해관계자와 협력하여 UX 전략을 수립합니다.
- UX 문화 조성: UX에 대한 이해와 중요성을 조직에 확산시키기 위한 문화를 조성합니다.
- UX 역량 강화: UX 전문가의 역량을 강화하기 위한 교육과 훈련을 제공합니다.

UX 리더는 이러한 역할을 수행하기 위해서는 다음과 같은 역량을 갖추어야 합니다.

- 비즈니스 이해: UX 전략이 비즈니스 목표를 달성하는 데 기여할 수 있도록 비즈니스를 이해하는 능력이 필요합니다.
- 리더십: UX 전략을 수립하고, 이를 실행하기 위해 조직을 이끌 수 있는 능력이 필요합니다.
- UX 전문성: UX 전문가로서의 전문성을 갖추고, 이를 바탕으로 UX 전략을 수립하고, 이를 실행할 수 있는 능력이 필요합니다.

향후 UX 전문가와 리더십의 역할

앞으로 UX 전문가와 리더십의 역할은 기업의 전략적 성과에 큰 영향을 미칩니다. 여러 측면에서 UX 전문가와 리더의 핵심 역할은 다음과 같습니다:

1. 비즈니스 이해와 통찰력:

• UX 전문가는 기업의 비즈니스 모델, 목표, 경쟁 상황을 깊이 이해해야 합니다. 비즈니스에 대한 통찰력을 바탕으로 UX 디자인이 비즈니스 목표와 어떻게 연결되는지를 이해하고 이를 실현할 수 있습니다.

2. 비즈니스 목표와의 통합:

• 전략적인 UX는 비즈니스 목표와 긴밀한 통합이 필요합니다. UX 전문가는 비즈니스 목표를 고려하여 사용자 중심의 디자인을 수립하고, 이를 통해 비즈니스 성과를 극대화할 수 있는 전략을 개발합니다.

3. 전략적 디자인 리더십:

• UX 리더는 조직 내에서 전략적 디자인을 이끄는 역할을 합니다. 비즈니스 전략과 조화되는 UX 전략을 수립하고, 이를 효과적으로 실행하기 위해 디자인 팀을 이끄는 역할을 수행합니다.

4. 팀 협업과 다양성 촉진:

• 리더는 다양한 전문성을 갖춘 팀을 조직하고 이끌어야 합니다. 팀원들 간의 원활한 협업과 의사소통은 전략적 UX 디자인의 핵심입니다.

5. 효과적인 커뮤니케이션:

• UX 전문가와 리더는 자신의 아이디어와 전략을 효과적으로 커뮤니케이션할 수 있어야 합니다. 조직 내에서 UX의 가치를 설득력 있게 전달하고 지지를 얻는 데 중요한 역할을 합니다.

6. 신기술과 트렌드의 탐색:

• 기술과 트렌드의 변화에 대한 예지력을 가지고, 미래의 사용자 경험에 영향을 미칠 수 있는 신기술을 적극적으로 탐색하고 통찰력을 제공합니다.

7. 지속적인 학습과 역량 강화:

• 리더는 지속적인 학습과 자기계발을 통해 새로운 디자인 방법론, 기술, 비즈니스 모델 등을 이해하고 효과적으로 적용할 수 있는 능력을 키워나가야 합니다.

8. 윤리적 리더십:

• UX 리더는 사용자의 개인정보 보호와 윤리적인 디자인에 대한 책임을 가지며, 조직 내에서 윤리적인 디자인 원칙을 촉진합니다.

이러한 역할과 기술을 바탕으로 UX 전문가와 리더는 조직의 성공에 기여하며, 전략적인 UX 디자인이 지속적으로 발전할 수 있도록 합니다.

6.3.2비즈니스에 미치는 UX의 지속적인 영향

UX의 비즈니스 영향

UX는 사용자의 경험을 개선하고, 비즈니스 성과를 향상시키는 데 중요한 역할을 합니다. UX가 비즈니스에 미치는 영향은 다음과 같습니다.

- 사용자 만족도 및 충성도 향상: UX가 우수한 제품이나 서비스를 제공하면, 사용자의 만족도와 충성도가 높아집니다. 이는 매출 증가, 고객 이탈률 감소, 고객 추천 증가 등의 효과로 이어집니다.

- 비즈니스 성과 향상: UX가 우수한 제품이나 서비스를 제공하면, 비즈니스 성과가 향상됩니다. 이는 매출 증가, 비용 절감, 시장 점유율 확대 등의 효과로 이어집니다.

UX의 전략적 중요성

UX는 단순히 제품이나 서비스의 디자인을 넘어, 비즈니스 전략의 중요한 요소로 자리 잡고 있습니다. 이는 다음과 같은 이유 때문입니다.

- 기술의 발전: 인공지능, 증강현실, 가상현실 등의 기술 발전은

사용자 경험의 새로운 가능성을 열어주고 있습니다. 이러한 기술을 효과적으로 활용하기 위해서는 UX 전략이 필요합니다.

• 사용자의 요구 변화: 사용자의 요구는 기술의 발전과 사회의 변화에 따라 지속적으로 변화하고 있습니다. 사용자의 요구를 파악하고, 이를 충족하기 위해서는 UX 전략이 필요합니다.

• 비즈니스 경쟁 심화: 비즈니스 경쟁이 심화되면서, 사용자 경험을 통해 차별화된 경쟁력을 확보하려는 노력이 증가하고 있습니다. 이를 위해서는 UX 전략이 필요합니다.

향후 UX의 지속적인 영향

앞으로 UX는 비즈니스에 더욱 중요한 역할을 할 것으로 예상됩니다. 그 이유는 다음과 같습니다.

• 기술의 발전: 기술의 발전은 사용자 경험의 새로운 가능성을 열어주고 있습니다. 이러한 기술을 효과적으로 활용하기 위해서는 UX의 발전이 필요합니다.

• 사용자의 요구 변화: 사용자의 요구는 기술의 발전과 사회의 변화에 따라 지속적으로 변화할 것입니다. 이러한 변화에 대응하기 위해서는 UX의 발전이 필요합니다.

• 비즈니스 환경 변화: 비즈니스 환경은 지속적으로 변화하고 있습니다. 이러한 변화에 적응하기 위해서는 UX의 발전이 필요합니다.

UX 전문가와 리더십의 역할

UX 전문가와 리더십은 앞으로 UX의 지속적인 영향에 대응하기 위해 다음과 같은 역할을 수행해야 할 것입니다.

• 비즈니스 전략과의 연계: UX 전략을 비즈니스 전략과 연계하여, 비즈니스 성과를 향상시키기 위한 노력을 기울여야 합니다.

• 기술의 발전에 대한 대응: 기술의 발전에 따라 변화하는 사용자 요구와 기대를 파악하고, 이를 충족하기 위한 UX 디자인을 개발해야 합니다.

• 사회적 책임: UX를 통해 사회적 문제를 해결하고, 지속 가능한 사회를 만드는 데 기여해야 합니다.

UX 전문가와 리더십은 이러한 역할을 수행하기 위해 다음과 같은 역량을 개발해야 할 것입니다.

• 비즈니스 전략 이해: 비즈니스 전략을 이해하고, 이를 바탕으로 UX 전략을 수립할 수 있는 능력이 필요합니다.

• 기술 이해: 기술의 발전에 따른 변화를 이해하고, 이를 반영한 UX 디자인을 개발할 수 있는 능력이 필요합니다.

• 사회적 책임에 대한 이해: 사회적 책임에 대한 이해를 바탕으로 UX를 통해 사회적 문제를 해결하고, 지속 가능한 사회를 만드는 데 기여할 수 있는 능력이 필요합니다.

결론적으로, UX는 비즈니스에 미치는 지속적인 영향으로 인해 앞으로 더욱 중요해질 것입니다. UX 전문가와 리더십은 이러한 변화에 대응하기 위해 비즈니스 전략과의 연계, 기술의 발전에 대한 대응, 사회적 책임을 중심으로 역할을 수행함으로써, UX의 가치를 더욱 높여 나갈 것입니다.

6.3.3비즈니스와 UX의 지속적 영향의 결과

1. 고객 충성도 및 만족도 향상:

• 지속적인 UX 개선은 고객들의 충성도를 높이고 만족도를 향상시킵니다. 사용자들이 제품이나 서비스를 쾌적하게 경험하면, 그들은 해당 브랜드에 더 오래 머무르게 되고 반복적으로 이용하게 됩니다.

• 구체적인 방법

a. 사용자 피드백 수집 및 분석:
- 방법: 고객들의 의견을 체계적으로 수집하고, 이를 분석하여 사용자 경험을 개선하는 방향으로 활용합니다.
- 가장 많이 사용하는 방법: 온라인 설문, 사용자 테스트, 피드백 양식, 앱 내 피드백 버튼 등을 통해 다양한 채널에서 사용자 의견을 수집하고, 이를 통계 및 데이터 마이닝으로 분석합니다.
b. A/B 테스트와 사용자 경로 분석:
- 방법: 서로 다른 버전의 디자인이나 기능을 테스트하여 어떤 변화가 사용자에게 더 긍정적인 영향을 미치는지 확

인합니다. 또한, 사용자의 이용 경로를 분석하여 개선점을 도출합니다.

- 가장 많이 사용하는 방법: A/B 테스팅 툴을 활용하여 디자인 변경사항이나 새로운 기능을 테스트하며, Google Analytics 등을 통해 사용자의 행동 경로를 분석합니다.

c. 개인화된 경험 제공:

- 방법: 사용자의 선호도와 행동 데이터를 기반으로 맞춤형 콘텐츠, 추천, 할인 혜택을 제공합니다.

- 가장 많이 사용하는 방법: 개인화된 알고리즘과 빅데이터 분석을 활용하여 사용자에게 맞춤형 정보와 혜택을 제공합니다.

d. 빠른 응답 및 성능 최적화:

- 방법: 웹페이지 또는 애플리케이션의 로딩 시간을 최적화하여 사용자가 불편함을 느끼지 않도록 합니다.

- 가장 많이 사용하는 방법: 성능 최적화를 위한 웹사이트 속도 측정 도구를 활용하고, 이미지 최적화, 캐싱 전략 등을 통해 응답 속도를 개선합니다.

e. 다채로운 채널을 통한 접근성 강화:

- 방법: 모바일, 웹, 소셜 미디어 등 다양한 채널을 활용하여 사용자들이 어떤 환경에서도 일관된 경험을 누릴 수 있게 합니다.

- 가장 많이 사용하는 방법: 반응형 웹 디자인, 크로스 플랫폼 앱 개발, 소셜 미디어 캠페인 등을 활용하여 다양한 채널을 활용합니다.

f. 지속적인 피드백과 업데이트:

- 방법: 정기적으로 사용자 피드백을 수렴하고, 서비스 또는 제품을 지속적으로 업데이트하여 새로운 기능이나 개선 사항을 제공합니다.

- 가장 많이 사용하는 방법: 정기적인 고객 설문 조사, 소셜 미디어 피드백 체크, 앱 스토어 리뷰 확인 등을 통해 사용자들의 의견을 수렴하고, 이를 기반으로 지속적인 개선을 진행합니다.

g. 유용한 콘텐츠 제공:

-방법: 사용자들에게 가치 있는 정보, 교육 자료, 튜토리얼 등을 제공하여 브랜드와의 상호작용을 높입니다.

- 가장 많이 사용하는 방법: 블로그, 소셜 미디어 채널, 비디오 콘텐츠 등을 활용하여 유용한 콘텐츠를 제공합니다. SEO에 최적화된 콘텐츠를 작성하여 사용자들이 검색 결과에서 찾아올 수 있도록 합니다. 또한, 사용자의 관심사에 맞는 콘텐츠를 지속적으로 업데이트하여 다양한 정보를 제공합니다.

2. 경쟁력 확보:

• 우수한 UX는 기업이 시장에서 경쟁력을 확보하는 데 결정적인 역할을 합니다. 사용자들이 다른 경쟁사보다 원활하고 편리한 경험을 제공받을 경우, 해당 기업은 시장에서 더 높은 위치를 차지할 수 있습니다.

• 구체적 방법

a. 경쟁사 분석 및 벤치마킹:

- 방법: 경쟁사의 UX를 체계적으로 분석하고, 우수한 부분은 벤치마킹하여 자사의 UX를 향상시킵니다.

- 가장 많이 사용하는 방법: 경쟁사의 제품 및 서비스를 체험하고, UX 설계 및 기능을 비교 분석하는 과정을 거칩니다.

b. 선진 기술 및 트렌드 활용:

- 방법: 최신 기술 및 UX 트렌드를 적극적으로 채택하여 사용자에게 혁신적이고 새로운 경험을 제공합니다.

- 가장 많이 사용하는 방법: AR/VR, AI 기술 도입, 음성인식 기능 강화 등의 선진 기술을 도입하여 UX 혁신을 추구합니다.

c. 다층적 디자인 시스템 구축:

- 방법: 일관된 디자인 시스템을 구축하여 모든 채널과 플랫폼에서 일관된 UX를 제공합니다.

- 가장 많이 사용하는 방법: Atomic Design, Design System 도구를 활용하여 일관된 디자인 요소 및 가이드라인을 구축합니다.

d. 신속한 적응과 업데이트:

- 방법: 시장 동향을 지속적으로 모니터링하고, 신속하게 사용자 피드백에 대응하여 손쉽게 업데이트를 진행합니다.

- 가장 많이 사용하는 방법: Agile 또는 DevOps 방법론을 도입하여 빠른 업데이트 주기를 유지하고, 지속적으로 새로운 기능을 제공합니다.

e. 고객 지원 및 서비스 향상:

- 방법: 고객 지원 서비스를 강화하고, 사용자 편의성을 높이기 위한 서비스를 제공합니다.

- 가장 많이 사용하는 방법: AI 기반의 챗봇 도입, 실시간 고객 지원, FAQ 업데이트 등을 통해 서비스 품질을 향상시킵니다.

f. 데이터 기반 의사결정:

- 방법: 사용자 데이터를 수집 및 분석하여 인사이트를 도출하고, 이를 기반으로 UX를 지속적으로 최적화합니다.

- 가장 많이 사용하는 방법: 빅데이터 분석, 사용자 행동 분석 도구를 활용하여 데이터 기반의 의사결정을 촉진합니다.

g. 모바일 최적화:

- 방법: 모바일 사용이 증가함에 따라 웹 및 앱을 최적화하여 모바일 사용자에게 편리한 경험을 제공합니다.

- 가장 많이 사용하는 방법: 반응형 웹 디자인, 네이티브 앱 개발 등을 통해 모바일 최적화를 실시합니다.

h. 사용자 교육 및 튜토리얼:

- 방법: 새로운 사용자를 위해 직관적인 디자인과 함께 사용자 교육 자료 및 튜토리얼을 제공하여 초기 사용에 대한 부담을 줄이고, 원활한 경험을 도모합니다.

- 가장 많이 사용하는 방법: 온라인 튜토리얼 비디오, 사용자 메뉴얼, 시나리오 기반의 교육 자료 등을 통해 사용자가 제품 또는 서비스를 쉽게 이해하고 활용할 수 있도록 도움을 줍니다.

위와 같은 방법들을 통해 기업은 경쟁사와 비교하여 뛰어난 UX를 제공함으로써 시장에서 더 높은 경쟁력을 확보할 수 있습니다. 사용자가 편리하고 만족스러운 경험을 얻을 때, 해당 기업은 긍정적인 평가를 받아 시장에서의 입지를 높일 수 있습니다.

3. 비즈니스 프로세스 최적화:

• UX는 비즈니스 프로세스의 효율성을 높이는 데 기여합니다. 직원들이 사용하기 편한 도구나 시스템은 생산성을 향상시키고 비용을 절감할 수 있습니다.

• 구체적 방법

a. 사용자 중심 업무 흐름 설계:
　- 방법: 직원들이 일상적으로 수행하는 업무 흐름을 이해하고, 이를 기반으로 직관적이며 효율적인 업무 환경을 디자인합니다.
　- 가장 많이 사용하는 방법: 사용자 인터뷰, 업무 프로세스 매핑을 통해 사용자 중심의 업무 흐름을 도출합니다.
b. 인터페이스 단순화 및 일관성 확보:
　- 방법: 복잡한 인터페이스를 단순하게 개선하고, 모든 시스템에서 일관된 디자인 가이드라인을 유지합니다.
　- 가장 많이 사용하는 방법: UI/UX 디자인 가이드라인 수립, 사용자 인터뷰 및 피드백 수렴을 통한 인터페이스 개선을 실시합니다.

c. 업무 자동화 및 AI 도입:

- 방법: 반복적이고 규칙적인 업무를 자동화하고, AI를 도입하여 업무의 효율성을 높입니다.

- 가장 많이 사용하는 방법: 업무 프로세스 자동화 도구 도입, 업무에 적합한 AI 기술 활용을 통해 업무 효율을 향상시킵니다.

d. 사용자 피드백을 통한 지속적인 개선:

- 방법: 직원들의 피드백을 적극적으로 수렴하고, 시스템 및 도구에 대한 지속적인 개선을 진행합니다.

- 가장 많이 사용하는 방법: 내부 피드백 시스템 도입, 주기적인 직원 만족도 조사를 실시하여 문제점 파악 및 해결합니다.

e. 학습 및 교육 자원 개발:

- 방법: 새로운 도구나 업데이트된 시스템에 대한 학습 자료 및 교육 자원을 개발하여 직원들이 신속하게 적응할 수 있도록 합니다.

- 가장 많이 사용하는 방법: 온라인 학습 플랫폼 도입, 사용자 가이드 작성, 워크샵 및 웹 세미나를 통한 교육을 제공합니다.

f. 모바일 및 원격 업무 환경 고려:

- 방법: 직원들이 모바일이나 원격에서도 효율적으로 업무를 수행할 수 있도록 모바일 최적화 및 원격 업무 환경을 고려합니다.

- 가장 많이 사용하는 방법: 모바일 앱 제공, 클라우드 기반의 협업 도구 도입을 통해 모바일 및 원격 업무를 강화

합니다.
g. 보안 및 규정 준수 고려:
- 방법: 사용자 경험을 향상시키는 동시에 보안 및 규정 준수를 고려하여 안정적인 업무 환경을 제공합니다.
- 가장 많이 사용하는 방법: 업무용 보안 솔루션 도입, 규정 준수를 충족시키는 UX 디자인 수립을 통해 안전한 업무 환경을 제공합니다.
h. 사용자 행동 분석을 통한 최적화:
- 방법: 사용자들의 업무 수행 과정에서 발생하는 행동을 분석하고, 이를 기반으로 인터페이스 및 프로세스를 지속적으로 최적화합니다.
- 가장 많이 사용하는 방법: 사용자 행동 분석 도구를 활용하여 업무 수행 중 발생하는 패턴과 어려움을 파악하고, 이를 개선하는 방향으로 프로세스를 최적화합니다.

위와 같은 방법들을 통해 기업은 비즈니스 프로세스를 효율적으로 최적화할 수 있습니다. 직원들이 사용하기 편리한 시스템을 구축하고, 업무 자동화 및 AI 도입을 통해 생산성을 높일 수 있습니다. 또한, 사용자 피드백을 수렴하고 지속적인 개선을 통해 비즈니스 프로세스를 최적화하여 경쟁력을 강화할 수 있습니다.

4. 신규 시장 개척 및 기회 탐색:

- 지속적인 UX 디자인은 사용자 피드백을 통해 신규 시장 기

회를 발견하고, 기업이 미래의 트렌드에 대응할 수 있도록 도와줍니다. 새로운 기술이나 소비자 요구 변화에 민감하게 대응할 수 있습니다.

- 구체적 방법

a. 사용자 인터뷰 및 인사이트 수집:

- 방법: 신규 시장을 개척하기 위해 사용자들과의 인터뷰를 통해 실질적인 Bed Needs를 파악하고, 이를 기반으로 새로운 기회를 찾습니다.

- 가장 많이 사용하는 방법: 유관종업계 인터뷰, 플랫폼 내 설문 조사, 소셜 미디어 감정 분석 등을 통해 사용자 의견을 수집합니다.

b. 프로토타입 및 검증:

- 방법: 새로운 아이디어나 제품을 빠르게 프로토타입화하고, 사용자 피드백을 통해 개선하며 시장 적응성을 검증합니다.

- 가장 많이 사용하는 방법: 프로토타이핑 툴을 활용한 빠른 프로토타입 제작, 사용자 테스트 및 피드백 수렴을 통해 개선합니다.

c. 사용자 중심의 마케팅 전략:

- 방법: 새로운 시장을 개척하기 위해 기존 고객들의 니즈와 행동을 중심으로 한 마케팅 전략을 수립합니다.

- 가장 많이 사용하는 방법: 퍼소나 개발, 고객 여정 매핑, 인플루언서 마케팅 등을 활용하여 사용자 중심의 전략을 구축합니다.

d. 경쟁 시장 분석 및 차별화:

- 방법: 경쟁 시장을 철저히 분석하고, 기존 제품과 차별화된 경쟁력을 확보할 수 있는 UX를 디자인합니다.

- 가장 많이 사용하는 방법: SWOT 분석, 경쟁사 분석을 통해 시장에서의 위치를 확인하고, 차별화된 전략을 수립합니다.

e. 트렌드 예측 및 대응:

- 방법: 미래의 트렌드를 예측하고, 이에 대한 UX 디자인을 준비하여 기술과 소비자 행동 변화에 민감하게 대응합니다.

- 가장 많이 사용하는 방법: 트렌드 보고서, 시장 조사 및 전문가와의 네트워킹을 통해 미래 트렌드를 파악하고 대응 전략을 수립합니다.

f. 민첩한 제품 개발 사이클:

- 방법: 신규 시장에 빠르게 대응하기 위해 민첩한 제품 개발 방법론을 도입하여 신속한 시장 투입을 실현합니다.

- 가장 많이 사용하는 방법: Agile 또는 Scrum과 같은 민첩한 개발 방법론 도입, 주기적인 스프린트를 통한 빠른 제품 출시를 목표로 합니다.

g. 모니터링 및 측정:

- 방법: 신규 시장 진입 후 사용자 행동을 모니터링하고 성과 지표를 측정하여 계획에 따라 조정합니다.

- 가장 많이 사용하는 방법: KPIs 설정, 사용자 데이터 분석을 통해 신규 시장 진입의 성공 여부를 계속적으로 평가합니다.

h. 커뮤니케이션 강화:
- 방법: 신규 시장 진입에 대한 정보를 내외부로 투명하게 전달하고, 사용자들과의 소통을 강화합니다.
- 가장 많이 사용하는 방법: 브랜드 메시지 개발, 소셜미디어 활용, 이벤트 참여 등을 통해 커뮤니케이션을 강화합니다.

신규 시장 개척을 위한 UX 디자인은 사용자의 실질적인 Bed Needs를 파악하고, 유연한 전략 수립을 통해 변화하는 환경에서도 효과적으로 대응할 수 있습니다. 지속적인 사용자 피드백과 시장 동향 모니터링을 토대로 유연한 전략 수립 및 신속한 제품 출시가 핵심입니다.

5. 브랜드 가치 향상:

- 사용자가 긍정적인 경험을 할수록 브랜드의 이미지가 향상됩니다. UX가 브랜드와 강력한 유대감을 형성하면, 이는 브랜드 가치를 높이고 고객들에게 긍정적인 인상을 남깁니다.

- 구체적 방법

a. 브랜드 메시지 정립:
- 방법: 브랜드가 전하고자 하는 핵심 메시지를 정립하고, UX를 통해 이 메시지를 사용자에게 전달합니다.
- 가장 많이 사용하는 방법: 브랜드 스토리텔링, 콘텐츠 마케팅을 활용하여 브랜드 메시지를 강조하고 사용자와 소통

합니다.
b. 감성적 상호작용 강화:
- 방법: 사용자의 감정적 연결을 강화하기 위해 UX에서 감성적 상호작용을 중요시하고 구현합니다.
- 가장 많이 사용하는 방법: 감성적 디자인, 퍼스널리제이션을 통해 사용자 경험에 감동을 전달합니다.
c. 브랜드 일관성 유지:
- 방법: UX를 통해 브랜드의 시각적 요소, 언어 스타일 등을 일관성 있게 유지합니다.
- 가장 많이 사용하는 방법: 브랜드 가이드라인을 제작하고, UX 요소에 일관성을 부여하여 브랜드 이미지를 향상시킵니다.
d. 사용자 참여 증진:
- 방법: 사용자를 브랜드의 일부로 만들어 참여감을 증진시키고, 고객들과의 상호작용을 강화합니다.
- 가장 많이 사용하는 방법: 소셜 미디어 플랫폼을 활용한 사용자 참여 캠페인, 이벤트, 리워드 프로그램 도입을 통해 참여를 유도합니다.
e. 브랜드 경험의 혁신:
- 방법: UX를 통해 브랜드 경험을 혁신하고 새로운 기술이나 트렌드를 통합하여 사용자에게 새로운 경험을 제공합니다.
- 가장 많이 사용하는 방법: AR/VR 기술 도입, 특별한 이벤트나 콘텐츠를 통한 브랜드 경험 혁신을 추구합니다.
f. 사회적 책임 강조:

- 방법: 브랜드의 사회적 책임을 강조하고, UX를 통해 사용자에게 브랜드의 가치와 사회적 활동을 알리며 긍정적인 이미지를 형성합니다.
- 가장 많이 사용하는 방법: 지속가능한 디자인, 사회적 이슈에 대한 브랜드의 입장을 공유하는 컨텐츠를 제작합니다.

g. 피드백 수렴 및 개선:
- 방법: 사용자의 의견과 피드백을 수렴하고, 이를 바탕으로 브랜드 경험을 지속적으로 개선합니다.
- 가장 많이 사용하는 방법: 고객 서비스 채널을 통한 의견 수렴, 사용자 테스트 및 피드백 도구 도입을 통해 지속적인 개선을 추진합니다.

브랜드 가치 향상을 위한 UX 전략은 브랜드의 핵심 가치를 강조하고 사용자와의 긍정적 상호작용을 통해 브랜드 이미지를 향상시키는 것입니다. 다양한 방법을 유기적으로 결합하여 브랜드 가치를 높이고, 사용자들과의 강력한 유대감을 형성함으로써 브랜드의 지속적인 성장을 이끌어냅니다.

비즈니스 ROI 향상:

• 지속적인 UX 향상은 비즈니스의 수익성을 향상시킵니다. 고객 경험이 개선되면 반복 구매가 증가하고, 긍정적인 사용자 리뷰가 증가함에 따라 브랜드의 가치가 상승하게 됩니다.

• 구체적 방법

a. 반복 구매 촉진:

- 방법: 구매 과정의 간소화와 퍼스널리제이션을 통해 사용자들이 쉽게 원하는 제품을 찾고 구매할 수 있도록 도움을 제공합니다. 구매 이력을 분석하여 맞춤 추천을 제공하고, 충성 고객에 대한 특별한 혜택 및 할인 프로그램을 도입합니다.

- 가장 많이 사용하는 방법: 회원 전용 프로그램, 포인트 적립 시스템, 맞춤형 할인 쿠폰 등을 활용하여 반복 구매를 유도합니다.

b. 긍정적인 사용자 리뷰 유도:

- 방법: 제품이나 서비스에 대한 사용자 리뷰를 촉진하기 위해 피드백을 요청하고, 만족도를 높이는 요소에 중점을 두어 사용자들이 긍정적인 경험을 공유하도록 유도합니다.

- 가장 많이 사용하는 방법: 이메일이나 앱 내에서 리뷰 요청을 보내고, 간편하게 작성할 수 있는 방식으로 참여를 유도합니다.

c. 브랜드 가치 상승을 위한 마케팅 전략:

- 방법: 강력한 브랜드 가치를 구축하기 위해 UX를 중심으로 한 마케팅 캠페인을 실시합니다. 브랜드 메시지를 강조하고 브랜드 스토리텔링을 통해 고객과의 강한 연결을 형성합니다.

- 가장 많이 사용하는 방법: 소셜 미디어, 블로그, 비디오 콘텐츠 등을 활용하여 브랜드의 가치와 이념을 강조합니다.

d. 사용자 중심의 제품/서비스 개발:

- 방법: 사용자 피드백 및 데이터를 수집하여 제품 및 서비스를 지속적으로 개선하고 사용자의 니즈와 선호도에 부합하는 새로운 기능 및 혁신을 도입합니다.

- 가장 많이 사용하는 방법: 디자인 사이클 중 피드백 수집 단계를 강화하고, 릴리스 전에 베타 테스트와 사용성 테스트를 실시하여 사용자의 목소리를 수용합니다.

e. 효과적인 콘텐츠 전략:

- 방법: 사용자가 원하는 정보를 쉽게 찾고 소비할 수 있도록 직관적이고 유용한 콘텐츠를 제공합니다. 블로그, 비디오, 인포그래픽 등을 활용하여 브랜드와 제품에 대한 가치를 전달합니다.

- 가장 많이 사용하는 방법: SEO를 최적화하고 특정 키워드를 활용하여 유용한 콘텐츠를 제작하여 소비자들에게 제공합니다.

f. AI 및 빅데이터 활용:

- 방법: 인공지능과 빅데이터 분석을 활용하여 사용자 행동을 예측하고 맞춤형 서비스를 제공합니다. 개인화된 광고 캠페인과 추천 시스템을 도입하여 사용자 경험을 최적화합니다.

- 가장 많이 사용하는 방법: 기업의 홈페이지, 애플리케이션, 소셜 미디어 등에서 발생하는 데이터를 수집하고, 이를 분석하여 맞춤형 경험을 제공하는 알고리즘을 구축합니다.

g. 지속적인 사용자 교육과 지원:

- 방법: 사용자 교육 자료, 튜토리얼, FAQ 등을 통해 사용

자들이 제품이나 서비스를 효과적으로 활용할 수 있도록 돕습니다. 또한, 고객 지원 서비스를 향상시켜 사용자들의 문제를 신속하게 해결합니다.

- 가장 많이 사용하는 방법: 온라인 튜토리얼, 고객 센터 챗봇, 이메일 지원 등을 활용하여 사용자 교육과 지원을 강화합니다.

h. 다양한 플랫폼 대응:

- 방법: 다양한 디바이스 및 플랫폼에 최적화된 UX를 제공하여 사용자들이 언제 어디서나 일관된 경험을 누릴 수 있도록 합니다.
- 가장 많이 사용하는 방법: 모바일 최적화, 반응형 웹 디자인, 앱 개발 등을 통해 다양한 플랫폼에 대응하는 전략을 채택합니다.

i. 데이터 기반 의사 결정:

- 방법: 데이터 기반 의사 결정을 통해 비즈니스 전략을 최적화합니다. 정량적 및 정성적 데이터를 수집하고 분석하여 비즈니스 인텔리전스를 확보하고 의사 결정에 반영합니다.
- 가장 많이 사용하는 방법: 데이터 분석 도구 및 플랫폼을 활용하여 실시간 데이터 모니터링 및 리포팅을 통해 의사 결정을 지원합니다.

j. 지속적인 피드백 수집:

- 방법: 사용자 피드백 수집을 지속적으로 진행하고 이를 적극 수용하여 UX를 개선합니다. 사용자들의 의견을 고려하여 제품 및 서비스를 발전시킵니다.

- 가장 많이 사용하는 방법: 온라인 설문조사, 사용자 테스트, 리뷰 및 평가를 통해 지속적인 피드백을 수집하고 분석합니다.

지속적인 UX 향상은 비즈니스에 다양한 이점을 제공합니다. 고객 충성도의 증가, 경쟁력 확보, 비즈니스 프로세스 최적화, 신규 시장 개척 및 기회 탐색, 브랜드 가치 향상, 비즈니스 ROI 향상 등은 효과적인 UX 전략의 결과물로 나타납니다. 사용자 중심의 디자인과 데이터 기반의 의사 결정을 통해 기업은 지속적인 혁신과 경쟁력 확보를 이룰 수 있습니다.

유연한 비즈니스 모델 적용:

• UX는 기업이 유연한 비즈니스 모델을 적용할 수 있도록 도와줍니다. 사용자의 다양한 요구에 신속하게 대응하고 변화하는 시장에 조율할 수 있게 됩니다.

• 구체적 방법

a. 민첩한 제품/서비스 개발:

- 방법: 작은 기능의 릴리스와 빠른 개선 주기를 도입하여 민첩한 개발 프로세스를 구축합니다. 사용자 피드백을 신속하게 수용하고 변경사항을 빠르게 반영합니다.

- 가장 많이 사용하는 방법: 스크럼 또는 칸반과 같은 애자일 방법론을 도입하여 짧은 개발 주기를 유지하고 배포 주기를 최적화합니다.

b. 다양한 시나리오에 대한 테스트:

- 방법: 다양한 사용자 시나리오를 고려한 테스트를 진행하여 제품이나 서비스가 다양한 환경에서 어떻게 작동하는지 확인합니다. 모바일, 데스크톱, 다양한 브라우저 등을 포함한 플랫폼 테스트를 강화합니다.

- 가장 많이 사용하는 방법: 사용자 테스트를 통해 다양한 환경에서의 사용자 경험을 평가하고 개선점을 도출합니다.

c. 개인화된 서비스 제공:

- 방법: 사용자의 행동 패턴과 선호도에 기반하여 맞춤형 서비스를 제공합니다. 개인화된 콘텐츠, 추천 시스템, 할인 및 혜택 프로그램을 도입하여 사용자 경험을 최적화합니다.

- 가장 많이 사용하는 방법: 머신러닝과 데이터 분석을 활용하여 개인화된 서비스를 제공하는 알고리즘을 구축하고 적용합니다.

d. 빠른 시장 진입:

- 방법: 제품이나 서비스를 신속하게 시장에 출시하여 경쟁 우위를 확보합니다. 미리보기 버전, 베타 테스트, 랜딩 페이지 등을 통해 초기 시장 피드백을 수집하고 조기 채택자를 확보합니다.

- 가장 많이 사용하는 방법: 릴리스 전에 빠르게 실험하고 피드백을 수렴하기 위해 MVP(최소 가치 제품)를 활용합니다.

e. UX 데이터에 기반한 비즈니스 전략 조정:

- 방법: 사용자 데이터를 기반으로 한 UX 메트릭을 정의

하고 이를 통해 비즈니스 전략을 지속적으로 조정합니다. A/B 테스트 및 사용자 행동 분석을 통해 데이터 기반의 의사 결정을 강화합니다.

- 가장 많이 사용하는 방법: Google Analytics, 히트맵 분석 등의 도구를 활용하여 사용자 동작을 추적하고 데이터에 기반한 의사 결정을 실시합니다.

f. 유연한 가격 모델 적용:

- 방법: 다양한 사용자 세그먼트에게 맞춤형 가격 모델을 제공하여 다양한 비즈니스 모델을 실험하고 적용합니다. 요금제 옵션, 프리미엄 서비스, 유료 추가 기능 등을 고려합니다.

- 가장 많이 사용하는 방법: Freemium 모델, 구독 기반 모델, 티어드 가격 모델 등 다양한 가격 전략을 실험하고 사용자 반응을 모니터링합니다.

g. 시장 동향에 민감한 제품/서비스 개발:

- 방법: 시장의 변화에 빠르게 대응하기 위해 트렌드 분석 및 소비자 인사이트를 수시로 모니터링하고, 이를 기반으로 제품 및 서비스를 조정합니다.

- 가장 많이 사용하는 방법: 시장 조사, 경쟁사 분석, 소비자 피드백을 통해 변화하는 시장 동향을 파악하고, 제품 및 서비스를 조기에 최적화합니다.

h. 디지털 트랜스포메이션 지원:

- 방법: UX를 중심으로 한 디지털 트랜스포메이션을 촉진하고, 기존 비즈니스 모델을 디지털화하여 혁신을 이끌어냅니다. 디지털 프로세스 자동화, 클라우드 기술도입 등을 통해

기업의 디지털 변화를 지원합니다.

- 가장 많이 사용하는 방법: 디지털 컨설팅, IT 인프라 업그레이드, 디지털 마케팅 전략 수립 등을 통해 기업의 디지털 트랜스포메이션을 촉진합니다.

i. 사용자 피드백에 따른 신속한 수정 및 개선:

- 방법: 사용자 피드백을 신속하게 수집하고, 이를 분석하여 제품이나 서비스를 지속적으로 수정 및 개선합니다. 사용자 의견을 존중하고 신속한 대응을 통해 사용자 만족도를 높입니다.

- 가장 많이 사용하는 방법: 사용자 피드백 플랫폼 도입, 소셜 미디어 감시, 고객 지원 플랫폼을 통해 빠른 응답과 수정을 실현합니다.

j. 팀 간 협업 강화:

- 방법: 다양한 부서와 팀 간의 협업을 강화하여 비즈니스 전략에 민감하게 대응할 수 있는 유연성을 확보합니다. UX 디자이너, 개발자, 비즈니스 전략가 등이 효과적으로 소통하고 협력할 수 있는 환경을 조성합니다.

- 가장 많이 사용하는 방법: 프로젝트 관리 도구 도입, 정기적인 회의 및 워크샵 개최, 디자인 씽킹과 같은 협업 방법론 도입을 통해 팀 간 협업을 강화합니다.

k. 비즈니스 모델 혁신:

- 방법: 혁신적인 비즈니스 모델을 모색하고 적용하여 기업의 수익 모델을 다양화하고 경쟁력을 강화합니다. 플랫폼 생태계 구축, 새로운 수익 기회 창출을 통해 비즈니스 모델을 혁신합니다.

- 가장 많이 사용하는 방법: 디자인 씽킹 세션, 비즈니스 캔버스 등을 활용하여 효과적인 비즈니스 모델 혁신을 모색합니다.

유연한 비즈니스 모델 적용은 현대 비즈니스에서 불확실성과 빠른 변화에 대응하기 위한 필수적인 전략입니다. UX를 중심으로 한 유연한 비즈니스 모델은 고객 요구에 신속하게 대응하고 기업의 지속적인 성장을 지원합니다. 혁신적인 제품과 서비스를 제공하고, 데이터 기반의 의사 결정을 통해 민첩하게 시장에 대응하는 것이 핵심입니다.

데이터 기반의 의사결정 강화:

• 사용자 행동 및 피드백 데이터를 분석하여 기업이 데이터 기반의 의사결정을 강화할 수 있습니다. 이는 비즈니스 운영에 대한 통찰을 얻고 전략적으로 향상시킬 수 있도록 도와줍니다.

• 구체적방법

a. 효과적인 데이터 수집:

- 방법: 정확하고 유용한 데이터를 수집하기 위해 사용자 행동, 피드백, 선호도 등을 다양한 출처에서 수집합니다. 웹 분석 도구, 사용자 설문, 피드백 폼 등을 활용하여 종합적이고 다양한 데이터를 확보합니다.

- 가장 많이 사용하는 방법: Google Analytics, 히트맵 도구, 사용자 피드백 도구 등을 통해 종합적인 데이터를 수집

하고 효과적으로 분석합니다.
b. 고급 데이터 분석 도구 도입:
- 방법: 고급 데이터 분석 도구 및 플랫폼을 도입하여 대용량 데이터를 심층적으로 분석합니다. 머신러닝 알고리즘, 예측 분석, 클러스터링 등의 기술을 활용하여 의사결정에 필요한 인사이트를 도출합니다.
- 가장 많이 사용하는 방법: Python, R, Tableau, Power BI 등의 도구를 활용하여 데이터 과학 및 시각화를 수행하고, 고급 분석을 통해 의사결정을 지원합니다.
c. 데이터 정확성과 신뢰성 강화:
- 방법: 데이터의 정확성과 신뢰성을 확보하기 위해 데이터 수집과정에서의 오류를 최소화하고, 데이터 품질을 지속적으로 모니터링합니다. 이상치 검출 및 데이터 정제 프로세스를 도입하여 정확한 분석을 가능케 합니다.
- 가장 많이 사용하는 방법: 데이터 검증 및 정규화 프로세스를 도입하여 데이터 품질을 향상시키며, 오류 및 불일치를 신속하게 해결합니다.
d. 데이터 기반의 KPI 설정:
- 방법: 데이터 기반의 Key Performance Indicators (KPI)를 설정하여 비즈니스 목표에 대한 성과를 측정합니다. 세부적이고 측정 가능한 목표와 지표를 정의하여 데이터를 통해 비즈니스 성과를 모니터링합니다.
- 가장 많이 사용하는 방법: SMART 기법을 활용하여 명확하고 실현 가능한 KPI를 수립하고, 정기적으로 검토하여 조직의 성과를 측정합니다.

e. 데이터 기반 의사결정 문화 구축:

- 방법: 조직 내에서 데이터 기반의 의사결정을 촉진하기 위해 전사적으로 데이터 문화를 구축합니다. 데이터를 통한 의사결정이 조직 문화의 일부가 되도록 교육, 교육 및 커뮤니케이션을 강화합니다.
- 가장 많이 사용하는 방법: 조직 내 교육 프로그램 및 워크샵을 통해 데이터 기반의 의사결정에 대한 이해를 높이고, 리더십의 참여를 유도합니다.

f. 실시간 데이터 분석 및 대응:

- 방법: 실시간 데이터 분석 및 대응 시스템을 도입하여 신속한 의사결정과 대응이 가능하도록 합니다. 이를 통해 변화하는 환경에서 실시간으로 데이터를 모니터링하고 적절한 조치를 취할 수 있습니다.
- 가장 많이 사용하는 방법: 실시간 대시보드 및 경보 시스템을 구축하여 실시간으로 데이터를 확인하고 비즈니스에 민첩하게 대응합니다.

데이터 기반의 의사결정은 현대 비즈니스에서 핵심적인 전략으로 부상하고 있습니다. 효과적인 데이터 수집, 분석, 그리고 의사결정 프로세스는 기업이 경쟁에서 우위를 차지하고 지속적인 성장을 이루는데 결정적인 역할을 합니다. 따라서 조직은 데이터에 기반한 의사결정을 지원하기 위한 기반을 강화하고 전사적으로 데이터 문화를 정립하는 것이 필요합니다.

종합적으로, 지속적이고 전략적인 UX는 비즈니스의 산업 구조와 경쟁 환경을 변화시키고, 고객 중심의 접근 방식을 채택하는 기업에게 큰 경쟁 우위를 제공합니다. 이는 비즈니스가 미래에도 끊임없이 발전하고 성장할 수 있는 핵심적인 동력이 될 것입니다.

7장 결론과 향후 전망

7.1요약과 정리

비즈니스는 UX와 상호적용하면서 서로에게 영향을 주고 있으며 이로 인해 비즈니스 조직은 문화와 업무 프로세스등에 변화를 보이고 있습니다. UX 또한 비즈니스의 여러 방향성을 더욱 반영하기 위한 모습으로 진화하고 있습니다. 본 저서에서는 이런 비즈니스와 UX간에 상호작용과 진화에 대해 살펴보고자 하였으며 이런 관점은 당장의 직면한 문제들을 넘어 향후 비즈니스, UX, 전략 분야의 변화에 대응하는 힘을 갖추는 기반이 될 것입니다.

1. UX디자인의 비즈니스적 중요성

UX디자인은 사용자의 경험을 개선하고, 비즈니스 성과를 향상시키는 데 중요한 역할을 합니다. UX가 비즈니스에 미치는 영향은 다음과 같습니다.

• 사용자 만족도 및 충성도 향상: UX가 우수한 제품이나 서비스를 제공하면, 사용자의 만족도와 충성도가 높아집니다. 이는 매출 증가, 고객 이탈률 감소, 고객 추천 증가 등의 효과로 이어집니다.

• 비즈니스 성과 향상: UX가 우수한 제품이나 서비스를 제공하

면, 비즈니스 성과가 향상됩니다. 이는 매출 증가, 비용 절감, 시장 점유율 확대 등의 효과로 이어집니다.

예를 들어, 한 연구에 따르면 UX가 우수한 모바일 앱을 사용하는 사용자는 그렇지 않은 사용자보다 앱을 2배 더 많이 사용하고, 앱을 추천할 가능성이 3배 더 높았습니다.

또한 UX가 우수한 웹사이트를 사용하는 기업은 그렇지 않은 기업보다 매출이 20% 더 높았습니다.

UX디자인은 이러한 비즈니스 성과를 향상시키는 데 기여하는 다음과 같은 요소들을 포함합니다.

• 사용자의 요구와 기대를 충족시킵니다. UX디자인은 사용자의 요구와 기대를 파악하고, 이를 충족시키기 위한 디자인을 개발합니다. 이를 통해, 사용자는 제품이나 서비스를 사용하면서 만족감을 느끼고, 이를 계속해서 사용하게 됩니다.

• 제품이나 서비스의 사용성을 향상시킵니다. UX디자인은 제품이나 서비스의 사용성을 향상시켜, 사용자가 쉽게 사용할 수 있도록 합니다. 이를 통해, 사용자는 제품이나 서비스를 사용하는데 어려움을 겪지 않고, 원하는 결과를 빠르고 쉽게 얻을 수 있습니다.

• 제품이나 서비스의 가치를 높입니다. UX디자인은 제품이나 서비스의 가치를 높여, 사용자에게 더 많은 만족감을 제공합니다. 이를 통해, 사용자는 제품이나 서비스에 더 많은 가치를 부

여하고, 이를 구매하거나 이용하는데 더 많은 돈을 지불할 용의가 있습니다.

2. UX디자인의 전략적 중요성

UX는 단순히 제품이나 서비스의 디자인을 넘어, 비즈니스 전략의 중요한 요소로 자리 잡고 있습니다. 이는 다음과 같은 이유 때문입니다.

- 기술의 발전: 인공지능, 증강현실, 가상현실 등의 기술 발전은 사용자 경험의 새로운 가능성을 열어주고 있습니다. 이러한 기술을 효과적으로 활용하기 위해서는 UX 전략이 필요합니다.

- 사용자의 요구 변화: 사용자의 요구는 기술의 발전과 사회의 변화에 따라 지속적으로 변화하고 있습니다. 사용자의 요구를 파악하고, 이를 충족하기 위해서는 UX 전략이 필요합니다.

- 비즈니스 경쟁 심화: 비즈니스 경쟁이 심화되면서, 사용자 경험을 통해 차별화된 경쟁력을 확보하려는 노력이 증가하고 있습니다. 이를 위해서는 UX 전략이 필요합니다.

예를 들어, 인공지능을 활용하면 사용자의 요구를 보다 정확하게 파악하고, 이를 충족하기 위한 디자인을 개발할 수 있습니다.

또한 고령화 사회에서는 사용자의 시력, 청력, 손의 기능 등에 대한 고려가 필요합니다. 사용자의 요구를 보다 잘 이해하고,

이를 충족시키는 제품이나 서비스를 제공하는 기업은 경쟁 기업보다 우위를 점할 수 있습니다.

UX는 사용자 요구를 이해하는데 현재까지 등장한 가장 다양하고 효과적인 내용들을 포함하도 있습니다. 이에 더해 데이터기반 의사결정, Agile 방법론들을 포함하여 더욱 진화하고 미래의 예측불허한 상황에 대응할 수 있도록 확장되고 있습니다.

3. 향후 UX디자인의 지속적인 영향

앞으로 UX는 비즈니스에 더욱 중요한 역할을 할 것으로 예상됩니다. 그 이유는 다음과 같습니다.

• 기술의 발전: 기술의 발전은 사용자 경험의 새로운 가능성을 열어주고 있습니다. 이러한 기술을 효과적으로 활용하기 위해서는 UX의 발전이 필요합니다.

• 사용자의 요구 변화: 사용자의 요구는 기술의 발전과 사회의 변화에 따라 지속적으로 변화할 것입니다. 이러한 변화에 대응하기 위해서는 UX의 발전이 필요합니다.

• 비즈니스 환경 변화: 비즈니스 환경은 지속적으로 변화하고 있습니다. 이러한 변화에 적응하기 위해서는 UX의 발전이 필요합니다.

예를 들어, 인공지능을 활용하여 사용자의 행동 패턴을 분석하고, 이를 바탕으로 개인화된 추천을 제공하는 것이 가능해질 것입니다.

• 경험의 확장: 제품이나 서비스의 사용을 넘어, 사용자의 삶 전반에 걸친 경험을 고려하는 디자인이 중요해질 것입니다.

제품이나 서비스의 사용과 관련된 정보, 서비스, 커뮤니티 등을 통합하여, 사용자에게 보다 일관되고 유기적인 경험을 제공하는 것이 가능해질 것입니다.

• 지속가능성: UX를 통해 사회적 문제를 해결하고, 지속 가능한 사회를 만드는 데 기여하는 디자인이 중요해질 것입니다. 친환경 소재를 사용하거나, 사회적 약자를 배려하는 디자인 등이 중요해질 것입니다.

4. UX디자인 전문가와 리더십의 역할

UX 전문가와 리더십은 앞으로 UX의 지속적인 영향에 대응하기 위해 다음과 같은 역할을 수행해야 할 것입니다.

• 비즈니스 전략과의 연계: UX 전략을 비즈니스 전략과 연계하여, 비즈니스 성과를 향상시키기 위한 노력을 기울여야 합니다.

• 기술의 발전에 대한 대응: 기술의 발전에 따라 변화하는 사용자 요구와 기대를 파악하고, 이를 충족하기 위한 UX 디자인을 개발해야 합니다.

• 사회적 책임: UX를 통해 사회적 문제를 해결하고, 지속 가능한 사회를 만드는 데 기여해야 합니다.

이를 수행하기 위해 UX디자인 전문가와 리더십은 다음과 같은 역량을 갖추고 있어야 합니다.

UX디자인 전문가 역량	UX디자인 리더십 역량
• 사용자 중심 사고: 사용자의 요구와 기대를 파악하고, 이를 충족시키기 위한 디자인을 개발하는 능력 • 기술 이해: UX 디자인에 적용할 수 있는 기술을 이해하고, 이를 활용할 수 있는 능력 • 비즈니스 이해: 비즈니스 목표를 달성하기 위한 UX 디자인을 개발할 수 있는 능력	• 비즈니스 이해: UX 디자인이 비즈니스에 미치는 영향과 중요성을 이해하는 능력 • UX 디자인 이해: UX 디자인의 개념과 원리를 이해하고, 이를 비즈니스에 적용할 수 있는 능력 • 리더십: UX 디자인을 비즈니스 전략에 연계하고, 이를 실행할 수 있는 능력

UX디자인 전문가와 리더십은 이러한 역량을 바탕으로 다음과 같은 역할을 수행함으로써, UX의 가치를 더욱 높여 나갈 수 있습니다.

• 비즈니스 전략과의 연계: UX 디자인을 비즈니스 전략과 연계하여, 비즈니스 성과를 향상시키기 위한 노력을 기울입니다.

• 기술의 발전에 대한 대응: 기술의 발전에 따라 변화하는 사용

자 요구와 기대를 파악하고, 이를 충족시키기 위한 UX 디자인을 개발합니다.

• 사회적 책임: UX를 통해 사회적 문제를 해결하고, 지속 가능한 사회를 만드는 데 기여합니다.

7.2미래를 향한 전략적 UX디자인의 핵심적인 역할

미래를 향한 전략적 UX 디자인의 핵심적인 역할은 다음과 같습니다.

• 비즈니스 목표 달성을 위한 사용자 경험 설계

전략적 UX 디자인은 비즈니스 목표를 달성하기 위한 사용자 경험을 설계하는 것을 목표로 합니다. 이를 위해서는 사용자의 요구와 니즈를 이해하고, 이를 비즈니스 목표와 조화롭게 결합하는 것이 중요합니다.

예를 들어, 한 기업이 제품의 매출을 높이는 것을 목표로 한다면, 사용자의 구매 흐름을 개선하고, 제품 구매를 촉진하는 사용자 경험을 설계할 수 있습니다.

• 기술 발전에 따른 사용자 경험의 변화 예측

기술은 빠르게 발전하고 있으며, 이는 사용자 경험에도 큰 영향을 미치고 있습니다. 전략적 UX 디자인은 기술 발전에 따른 사용자 경험의 변화를 예측하고, 이에 대비하는 역할을 합니다.

예를 들어, 메타버스와 같은 새로운 기술이 등장함에 따라, 사용자는 현실과 가상 세계를 넘나드는 경험을 기대하고 있습니다. 전략적 UX 디자이너는 이러한 변화에 대비하여, 메타버스 환경에서 사용자에게 최적화된 경험을 설계할 수 있습니다.

• 다양한 사용자에 대한 포용적인 디자인

미래의 사회는 더욱 다양해질 것으로 예상됩니다. 따라서 전략적 UX 디자인은 다양한 사용자에 대한 포용적인 디자인을 추구해야 합니다.

예를 들어, 노인, 장애인, 다문화 사용자 등 다양한 사용자의 요구와 니즈를 고려하여, 모든 사용자에게 공평하고 편리한 사용자 경험을 제공할 수 있어야 합니다.

위에 3가지 역할을 수행하기 위해 전략적 UX 디자인은 기술의 발전, 산업의 진화, 그리고 사용자의 요구 변화에 대응하여 지속적인 혁신과 경쟁력 유지를 목표로 합니다. 다음은 미래를 대비한 전략적 UX 디자인에서 필요한 내용에 대한 설명입니다.

1. 기술의 발전에 대한 대응:

- 새로운 인터페이스와 기술 도입: 미래의 UX 디자인은 새로운 기술과 상호작용하는 방식을 탐구하고 도입해야 합니다. 예를 들어, 증강 현실(AR)이나 가상 현실(VR)과 같은 기술을 활용하여 혁신적인 사용자 경험을 제공할 수 있습니다.

2. 사용자 중심의 기술 적용:

- 개인화된 경험 강화: 미래의 UX는 더 많은 데이터와 인공지능을 활용하여 사용자에게 맞춤형 서비스와 경험을 제공해야 합니다. 사용자의 선호도, 행동 패턴을 학습하고 이를 반영하여 개인화된 서비스를 제공하는 것이 중요합니다.

3. 다양한 디바이스 및 환경 고려:

- 멀티플랫폼 호환성: 미래의 UX 디자인은 다양한 디바이스 및 환경에서 일관된 경험을 제공할 수 있어야 합니다. 모바일, 웨어러블, 스마트 홈 등 다양한 플랫폼에서 동일한 서비스를 이용하는 사용자를 위한 호환성이 중요합니다.

4. 데이터 기반의 전략 수립:

- 데이터 분석과 피드백 활용: 미래의 UX 디자인은 사용자 행동 데이터를 체계적으로 수집하고 분석하여 실시간으로 서비스를 개선하는 데 주력해야 합니다. 데이터 기반의 의사결정은 민첩한 UX 전략을 가능하게 합니다.

5. 사용자 참여 및 협업 강화:

- 커뮤니티 및 협업 플랫폼 활용: 미래의 UX 디자인은 사용자를 제품 혹은 서비스 개발에 직접 참여시키고, 커뮤니티와의 상호작용을 강화해야 합니다. 사용자들의 의견을 수렴하고 공유함으로써 더 나은 경험을 창출할 수 있습니다.

6. 지속적인 실험과 개선:

- 애자일 및 디자인 씽킹 방법론 도입: 미래의 UX 디자인은 지속적인 실험과 사용자 피드백을 바탕으로 서비스를 개선해야 합니다. 애자일과 디자인 씽킹 방법론을 통해 빠른 속도로 변화에 대응할 수 있습니다.

7. 보안 및 개인정보 보호 강화:

- 신뢰성과 개인정보 보호: 사용자의 민감한 정보를 적극적으로 보호하고, 안전한 환경에서 서비스를 이용할 수 있도록 보안에 중점을 둬야 합니다. 사용자들이 서비스에 대해 신뢰를 가지도록 보장해야 합니다.

8. 지속적인 학습과 업스킬링:

- 신기술 및 트렌드 습득: 미래의 UX 디자이너는 새로운 기술과 트렌드를 지속적으로 학습하고 적용할 수 있는 능력을 기르는 것이 필수입니다. 변화하는 환경에서 디자이너 자체가 지속적인 학습자이며, 업스킬링에 주력해야 합니다.

미래를 향한 전략적 UX 디자인은 변화의 속도가 빠르고 사용자 요구가 다양해지는 환경에서 기업이 비즈니스 성과를 극대화하고, 사용자에게 최고의 경험을 제공하기 위한 중요한 전략입니다. 최신 기술 동향, 사용자 행동 분석, 데이터 기반의 의사결정, 지속적인 혁신, 그리고 보안 등 다양한 측면을 고려하여 유연하고 창의적인 전략을 수립하는 것이 미래에 성공적인 UX

디자인을 위한 열쇠가 될 것입니다.

이를 위해 비즈니스와 사용자경험의 상호작용을 이해하고 사회, 문화, 기술의 변화에 발맞출 수 있는 비즈니스 리더 그리고 사용자경험의 전문가들이 자라길 바랍니다.

본 저서는 이러한 방향성을 가지고 인공지능(Chat GPT3.5, 와 바드 등의 서비스를 이용해서 작가가 검수하고 프롬프트 명령을 통해 원하는 내용을 기재하는) 실험적 방식으로 제작되었습니다. 향후 본 내용을 기반으로 비즈니스와 UX의 진화에 초점을 맞추어 추가 집필을 할 계획입니다. 아울러 조금은 원론적이고 반복되는 문구에도 본 저서에 관심을 가져준 모든 독자분들께 감사의 말씀을 전하며 향후 더욱 깊이 있는 내용으로 찾아 뵙겠습니다. 이를 위해 추가하거나 의견을 주실 분들은 언제든지 메일 연락바랍니다.

감사합니다